*Whispers and Breath
of the Meadows*

ՀԱՆԴԵՐԻ ՇՇՈՒԿՆԵՐՆ ՈՒ ՀԵՎՔԸ

Razmik Davoyan

Whispers and Breath of the Meadows

ՀԱՆԴԵՐԻ ՇՇՈՒԿՆԵՐՆ ՈՒ ՀԵՎՔԸ

৵

Translated by Arminé Tamrazian
Introduced by W. N. Herbert

2010

Published by Arc Publications,
Nanholme Mill, Shaw Wood Road
Todmorden OL14 6DA, UK

Design by Tony Ward
Printed in Great Britain by the
MPG Books Group, Bodmin and King's Lynn

978 1904614 47 0 (pbk)
978 1904614 96 8 (hbk)

ACKNOWLEDGEMENTS
The poems in this book are taken from the following collections:

Իմ աշխարհը – My World (Yerevan: Hajpethrat, 1963)
Ստվերների միջով – Through the Shadows
(Yerevan: Hajastan Publications, 1967)
Ռեքվիեմ – Requiem (Yerevan: Hajastan Publications, 1969)
Մեղրահաց – Honeycomb (Yerevan: Hajastan Publications, 1973)
Կեղևդ բաց արա – Unwrap your skin (Yerevan: Hajastan Publications, 1975)
Տաք սալեր – Warm Cobbles (Yerevan: Sovetakan Grogh Publications, 1978)
Պղնձե վարդ – A Copper Rose (Yerevan: Sovetakan Grogh, 1983)
Ոգեղեն հաց – Bread of Soul (Yerevan: Tigran Mets Publications, 2001)

Cover photograph by Tony Ward

Supported by
ARTS COUNCIL
ENGLAND

Arc Publications: 'Visible Poets' series
Editor: Jean Boase-Beier

CONTENTS

SERIES EDITOR'S NOTE

The *Visible Poets* series was established in 2000, and set out to challenge the view that translated poetry could or should be read without regard to the process of translation it had undergone. Since then, things have moved on. Today there is more translated poetry available and more debate on its nature, its status, and its relation to its original. We know that translated poetry is neither English poetry that has mysteriously arisen from a hidden foreign source, nor is it foreign poetry that has silently rewritten itself in English. We are more aware that translation lies at the heart of all our cultural exchange; without it, we must remain artistically and intellectually insular.

One of the aims of the series was, and still is, to enrich our poetry with the very best work that has appeared elsewhere in the world. And the poetry-reading public is now more aware than it was at the start of this century that translation cannot simply be done by anyone with two languages. The translation of poetry is a creative act, and translated poetry stands or falls on the strength of the poet-translator's art. For this reason *Visible Poets* publishes only the work of the best translators, and gives each of them space, in a Preface, to talk about the trials and pleasures of their work. From the start, *Visible Poets* books have been bilingual. Many readers will not speak the languages of the original poetry but they, too, are invited to compare the look and shape of the English poems with the originals. Those who can are encouraged to read both. Translation and original are presented side-by-side because translations do not displace the originals; they shed new light on them and are in turn themselves illuminated by the presence of their source poems. By drawing the readers' attention to the act of translation itself, it is the aim of these books to make the work of both the original poets and their translators more visible.

Jean Boase-Beier

TRANSLATOR'S PREFACE

How does one present a writer of significance in a single volume? In preparing a collection of translated poetry dedicated to one poet, a translator always seeks to give the best possible overall idea about him, present all aspects of his work, all that has made the translator know and love his poetry. However, when dealing with a poet of great acclaim with over fifty years of brilliant writing history behind him, this seems practically impossible to achieve. Furthermore, there is always the awareness that, no matter what one does, at least some of the sparkle of the original will inevitably be lost in translation.

Perhaps this same awareness was the reason why I hesitated back in 1991 when asked to translate a few poems by Razmik Davoyan and present his works during a seminar of Armenian studies at SOAS, London. At the time, I was a PhD student in the Department of Phonetics and Linguistics at University College, London with virtually no experience in translating poetry. I had come to know and love Razmik Davoyan's poetry at a very young age and felt a heavy burden of responsibility not to diminish him, by my inexperience, to mediocrity. After overcoming the first wave of panic, I accepted, knowing that I had to stay as close as possible in form and detail to the originals if only out of respect for the poet and his poetry, and I have adhered to this approach throughout my work. The very few inevitable diversions have all been discussed in detail with the poet himself.

In the years that followed, the translations slowly began to accumulate. Sometimes, in order to allow them to flow and trying not to fall into the danger of producing lifeless literal translations, I would try to make myself live and re-live the poems over and over again through constant *conscious* repetitions (somewhat in the spirit of the old mystics of the East) until the words would start to flow in English. For me, this was the only way truly to eliminate myself and minimize my presence from the end product. Of course, it was only possible for me to apply this approach to some of the smaller poems, because of the volume and the degree to which I could stay focused for hours on end. However, I consider the translations born in this manner the most sincere of all and for me, the entire process of trying to make the poems speak in another language was a wonderful spiritual experience.

The most significant quality about Razmik Davoyan's poetry which concerned me as his translator was the energy which flows so abundantly through them. Therefore, my main concern was to maintain the feel of this energy and to make it flow, albeit to a lesser degree, in English as well.

In this volume, an attempt has been made to present all the different phases of Razmik Davoyan's work by including poems written in his teens through to the present day. In this spectrum, the poem 'Requiem' is perhaps the most significant. This colossal piece of work (close to 10,000 lines), quite untypical of the poetry of our times, is Davoyan's best known and most highly acclaimed work of which, unfortunately, only glimpses are available in this volume. 'Requiem' seeks to bridge the ages by echoing another poem created in the tenth century by an Armenian mystic monk, Grikor Narekatsi. Razmik Davoyan believes that, by showing the spiritual and physical state of a people at a given time, such works can always provide a far better and clearer insight into certain stages of history than the chronicle of day-to-day historic facts. On the other hand, 'Requiem' has a sense of tragedy, resilience and a great desire for life and faith which go far beyond the boundaries of one single nation.

Each section of this poem, although not directly relating to a particular event or psychological state, is an individual creation which can stand alone as a complete piece (as in this book), but in the context of the entire poem each individual section is essentially an organic and necessary part of the whole.

Undoubtedly, the most significant contemporary Armenian poet, Razmik Davoyan is one of a handful of names in Armenian literature which define not only an era, but go much further to embody an entire history. Davoyan's work reflects the experiences of an old nation, yet it is fresh and very personal at the same time. It is impossible not to feel the struggles, hopes and aspirations of his native land in his works, which have shaped him both as a person and as a writer and with which every reader can identify. Furthermore, in his poems one constantly encounters the longing for a better world, the necessity to "Cleanse the world" and to cleanse the "self" from within, which in turn enables one to sprout deep, strong roots in the earth and become one with all. Thus, when Davoyan says: "Tree, unwrap your skin and hold me within…" ('Unwrap Your Skin', p. 37) or when he evaporates into the air "turning into mist", he does not seek to escape from the harsh realities of life. Rather he longs to join the cycle of eternity, emphasizing the unity of man and all else created by God.

Joseph Greenberg, a well-known Russian expert in western literature, aesthetics and philosophy writes in the Russian monthly *Voprosi Literaturi* (Literary Questions), Nov. 1978 issue:

> Poetry looks to the past in order to explain the present and predict the future. This is the source of the versatility and abundance of images which is the distinguishing feature of the miracle of poetry.
>
> Razmik Davoyan most certainly commands this ability… It is impossible to steer away from and hide the sorrow of loss and the weight of afflictions [in his poetry], but even in such lines, despite all the obstacles, the essential desire towards mankind is very clear… In one of the concluding parts [of a poem] we read the following words: "Oh, my Holy world, / My heart is pecking at / Golden grains of songs / Like a bird in your familiar hand, / Playing upon your golden fingers…"….This, without even a trace of intention, holds within itself the unpretentiousness of the eruptions of the heart and the limitations of social relations all woven together in one image by the miracle of the flight of imagination.

In spite of all the shortcomings, poetry has always been translated and will continue to be translated, because the spirit of every nation lies primarily in its poetry providing an invaluable means of communication with the rest of the world. Needless to say, in this sense, this volume is no exception.

Arminé Tamrazian

11

INTRODUCTION

The roofs are not standing
But sitting on the walls.
The walls are not standing
But sitting on the soil
And the soil on the bodies of the dead.

We understand, from Orhan Pamuk's threatened imprisonment in Turkey merely for alluding to what happened to the Armenian people during the final period of the Ottoman Empire, how difficult it is to broach publicly the subject of genocide. We remember Adorno's stricture about writing poetry in its wake, impossible to obey as that has proved to be. But the last hundred years have become a period marked above all by genocide and forced migration; by the inability of the powerful to share their social freedoms with the weak; by the exploitation by powerful states of all the paranoias of racial, religious and tribal difference in order to maintain power — or, in the brute terms of *realpolitik*, to procure the same slave labour which built the ancient empires. (Or, more crudely still, to gain access to the same units of energy, whether their source is human or natural.) The efficiency and speed with which the voices of minorities have been suppressed, even in an age of supposedly mass communication, means that Adorno's agonised injunction requires breaking with greater frequency.

Thankfully, globally, a poetry which can speak for both self and people, nation and species, continues to be written. Ironically, it is exactly such oppressive, tragic circumstances which maintain poetry's historic role as a private yet public voice, which has been arrogated in most western societies to the broadcast media, or transferred to film and the novel. Inevitably, then, we read such figures as the Chinese Menglong (or 'Misty' poets), African poets like Gaarriye, Mapanje and Okigbo, Palestinian poets like Darwish and Barghouti, and the Armenian poet Razmik Davoyan, with a combination of eagerness for news, and a certain nostalgia for that representative voice.

Davoyan is the child of a generation which had experienced the stagnation and collapse of the Ottoman Empire, and came to prominence as a writer during the stagnation and collapse of the Soviet Union. No state can conceive of its own end in less than apocalyptic terms, and just as one decline led to massacre, so the other led to the Cold War's threat of nuclear annihilation, what he calls "the final roar". His writing is therefore born of the tension between traumatic remembrance, and the anticipation of still worse.

One result of such pressures is urban cunning, such as we see in the unpublished and *samizdat* writings of late-period Soviet society, from Slutsky to Aizenberg; another is a return to the epical and the apophatic, which is what we find in Davoyan. He has continued to write as another great culture also enters its decline – and proves itself similarly dangerous in defence of its assumed privileges. (There is a strange prefigurement in his poem about Manhattan, dated 1979, where "… the guarding red light hasn't yet / Been thrust" to ward off a plane seen as "That blind, giant bird flying in the dark" – see p. 63.)

The most astonishing element of his work, however, is that it is saturated with joy: a constantly-renewed delight in the interaction between a creation experienced with rare spiritual intensity, and the smaller act of creation which poetry represents for him, the human capacity for a further life of the imagination beyond a simple response to the delightful or the dreadful. As he says, echoing Marianne Moore's famous line about 'real toads in imaginary gardens':

...there are forests
In the sounds escaped from forests,
There are birds in their shadows,
There are dreams
In the hands robbed of dreams

'A Confused Eye', p. 131)

The unique, tense melancholy which flavours his poetry is always offset by an understanding of the miracle that transforms it from an emotion into a created thing. So we find, between sparing references to the "bright shine of missiles" (p. 105) and "The tombs resting in Turkey" (p. 141), a keen understanding of the insubstantiality of the poetic self, a writer's ability to create what Adrienne Rich called 'impersonae':

> I am a cave
> And my own echo
> In the cave
> Have lived for ages as a monastery, a church
> Burning in my own chill for ages as a monastery, a church
> And in the defected minds of so many
> I am one with everything
> Except for myself.
>
> ('Head to Toes', p. 133)

This capacity to enter energetically into communion with things, particularly voiced but inarticulate things like water, birds, trees in wind, the wind itself, becomes, metaphorically, Davoyan's statement of intent to speak for the voiceless ("The yellow rustle of the trees... Fragmented and stretched / As human thoughts...', p. 29). Many of his poems are as paradoxically full of absence as the typical title, 'I Am Not Here Now', challenging us to read the shimmering immanence with which natural phenomena are represented as having allegorical meaning.

In this Davoyan recalls the trope of displacement deployed by many poets from traumatised cultures, by which that utterance which cannot be made for one reason or another, whether pronounced societal decorum or actual repression, is deferred onto an 'innocent' speaker (sometimes an inanimate object or an historical figure), or contained by metaphor, metonym or allegory, and thus concealed from the dangerously-literal reader. Of course, this method is simply a development of poetry's primary method of moving from the individual to the universal by the transition between image and symbol, between reading something in terms of similitude (what else it resembles), then reading it in terms of amplitude (what else those resemblances can be taken to mean). Thus there is little attempt and no real need to indicate what is being heard by a child in the following stanza:

The pitchers are whispering
Words of clay to each other, at night,
And the clay lips turn pale
From those living whispers.

(Untitled, p. 61)

In poetry, two things in particular are always, if not lost in translation, then displaced or dispossessed: obviously, the music of the original language; less obviously, its particular context of engagement with its own audience. Where there is the barrier of a little-known script, even the enthusiastic reader cannot be expected to sound out the original; and, without an intimate knowledge of the context in which poetry is distributed, read and, as importantly, recited in its own country, it is hard to gauge whether directness (or indirectness) of utterance is an expectation or an achievement. The reader, always aware that the music of the translation is a substitute, also has to resist identifying its angle of delivery with the reading and performance habits of their own nation.

The primary compensation one has for a loss of music is an intensified engagement with image and rhetoric, and, as befits a poet whose main device is metamorphosis, Davoyan's work is shot through moments of startling visual clarity ("...the fork scratches the plate / With its cold fingers" – 'I am Not Here Now', p. 45), and phrases which seem effortlessly poised between enigma and epigram ("For corpses do weep dust" – 'Invitation', p. 93). As for its approach to audience, his poetry strikes this reader as simultaneously more public and more personal than its current equivalents in English language poetry. It addresses from afar and whispers in the ear at one and the same time, is easier both with apparent generalities and, apparently, secrets.

There is a dangerous fallacy sometimes cited to the despair of writers, translators and curious readers that, however the original intended audience of a poet might be defined, or might define itself, only it can fully understand their poetry. Those who write, translate or read with that deep curiosity would debate whether it is useful to think of anything being 'fully

15

understood' in this sense. Nevertheless, there is always a danger that the poetry of a culture subjected to great hardship might become opaque to those who have not shared its history, resulting in a music which can only be appreciated within that culture. Razmik Davoyan's poetry seems to avoid that fate by achieving an accessibility which cancels out distance, substituting instead an equal empathy for the suffering and the exultant, finding for both a voice that implies such oppositions are finally resolved in the poem.

W. N. Herbert

WHISPERS AND BREATH OF THE MEADOWS

ՀԱՆԴԵՐԻ ՇՇՈՒԿՆԵՐՆ ՈՒ ՀԵՎՔԸ

¶

Մեզ խփում են փալիս.-
Ծիծա՛ղ, ծիծա՛ղ, ծիծա՛ղ:
Ծիծաղ մարդուն, հողին, ջրին,
Քանզի այդպես է միշտ՝
Ծիծաղը դարձնում է մեզ ապակի,
Եվ ցավի մի հարվածով
Մեզ փշրելը դառնում է զարմանալի դյուրին:

¶

Ջրերը կակաչներ են ուտում,
Խոհերը քանդվում են գուղձերով.
Անցնում են քամիները կապույտ՝
Հուշերի փազնապներ հնձելով:

Մանուկներն՝ աչքերում թիթեռներ,
Ծաղկավոր ցուլեր են քշում դաշտ,
Բզեզներն արթուն են ամեն օր,
Գազաթներն հավքեր են ձյունապաշտ:

Անանուն ցավերի ճամփորդներ՝
Ջրերը կակաչներ են ուտում.—
Գիշերով մենք սերը կորցրինք,
Ցերեկով փնտրում ու չենք գտնում:

¶

We are being tickled –
Laughter, laughter, laughter.
Laughter for man, for the soil, for the waters,
Because laughter
Always turns us into glass
And to shatter us with a single stroke of pain
Becomes surprisingly easy.

¶

The waters are eating tulips,
Thoughts crumble in chunks,
The blue winds pass by
Harvesting the anguish of memories.

Children with butterflies in their eyes
Lead colourful oxen to the fields,
Bees are wide awake each day,
Peaks, snow-worshipping birds.

The waters, travellers of unnamed pains,
Are eating tulips –
We lost our love in the night,
Unable to find it in daylight.

ՋԻՆԵՍՏՐԱ

Այս բույսը Սիցիլիայում ցանում են
Էթնայի հրաբխային սառած լավայի վրա,
և նա ոչ միայն ինքն է աճում, այլև
արմատներով փխրեցնում է կարծրացած
լավան և դարձնում հող...

Ջինեստրա՛, ես քեզ քույր պիտի կոչեմ,
Ջինեստրա՛, պիտի եղբայրդ դառնամ,
սև լավան պիտի փշրենք միասին,
որ քաղցրացընենք հողը դառնահամ:

Ախ, այս հողն այնքան կրակ է պեսել,
լավայի այնքան հրաշեկ հեղեղ,
որ որքան ուզես խորքերը պեղել՝
այնքան ավելի կարծր է ու սև:

Այդպես իմ հողն ու իմ երկիրն է քար,
այդպես կարծր են շուրթերն իմ հողի.—
ի՞նչ կախարդական ջուր կողողի՝
որ ծաղիկ դառնա քարը խելագար:

Բայց արմատները քո կախարդական,
Ջինեստրա՛, նրանք ուժով նրբագին
սանձահարում են կրակի ոգին,
որ սառել է սև ու դարձել է քար:

Ես քեզ կպանեմ երկիրն իմ քարե,
ես քեզ կցանեմ ապառաժներին,
ես քեզ կցանեմ քար սրտերի մեջ,
կպամ զորություն քո արմատներին,

GINESTRA

This plant is planted
on the rocks of Mount Aetna
and it not only grows among them, but
shatters the volcanic rocks with its roots
turning them into soil.

Ginestra, I shall call you my sister,
Ginestra, I shall become your brother
Together we shall crumble the black lava
To sweeten the bitterness of the soil.

This land has seen so much fire,
So many blazing floods of lava
That the more you try digging its depths
The harder and darker it becomes.

My land is also made of rocks
With lips as stiff as stone
What mythical water can make
The mad rocks turn into flowers?

But your magical roots,
Ginestra, with their delicate strength
Restrain the spirit of fire
Cooled black into a rock.

I shall take you to my land of rocks,
Plant you on the ore
And in hearts of stone
I shall give power to your roots.

որ դու աննկուն և համառորեն
քարե սրտերը դարձընես ծաղիկ,
խոնարհեցընես ժայռերն անառիկ,
և սրտերը քո շնչից օրորվեն:

Ջինեպրա՛, ես քեզ քույր պիտի կոչեմ,
Ջինեպրա՛, պիտի եղբայրդ դառնամ,
սև լավան պիտի փշրենք սրտերում,
որ քաղցրացընենք կյանքը դառնահամ:

¶

Կանգնած չեն փանիքները-
Նրանք նստած են պատերի վրա:

Կանգնած չեն պատերը-
Նրանք նստած են հողի վրա:
Եվ հողը նստած է մեռածների մարմինների վրա:

And you, unyielding and strong,
Shall turn stone hearts into flowers
You shall crumble the invincible rocks
And hearts will swing with your breath.

Ginestra, I shall call you my sister,
Ginestra, I shall become your brother,
We shall crumble the black lava in the hearts
To sweeten the bitterness of life.

¶

The roofs are not standing
But sitting on the walls.

The walls are not standing –
But sitting on the soil
And the soil, on the bodies of the dead.

¶

Լուսինը, լուսինը մարեց,
ամպերը մթնելով անցան,
արևը փափուկ ծիծաղեց,
և զանգակ ցողերի վրա
կամարեց շքեղ ծիածան:

Ես վերջին ահավոր մի ճիգով
արմատս քաշելով իմ հողից,
եկել եմ հանդերի երգով,
հանդերի շշուկով ու հեքով՝
հորինված արևից ու ցողից:

Կտրվել հողից ու ջրից,
կտրվել հանդերից իմ կանաչ,
եկել եմ՝ ծաղիկդ դառնամ,
որ մեկ օր քո դեմքին նայելով՝
թառամեմ ոտքերիդ առաջ:

¶

Կեսօր է: Միջօրե: Ու մարդիկ
Ավազին փռվել են այս պայլին:
Իսկ անցնող ծովայինն, իհարկե,
Անտեղի, իզուր է կապակում...
Մի փոքրիկ աղջնակ ծովափին
Փշրվող ալիքն է հավաքում:

¶

The moon, the moon went out,
The clouds passed overhead,
The sun laughed softly
And arched a grand rainbow
Upon bells of dew.

Pulling my roots from the soil
With one final dreadful cry
I have come bringing the songs of the meadows,
The whispers and breath of the meadows
Woven from sun and dew.

Cut off from water and soil
Deprived of my green meadow
I have come to be your flower for a day,
To wilt by your feet
Looking at your face.

¶

It is midday. Noon. And people
Are lying on the sand in the heat
And the passing sailor of course,
Is joking in vain…
A small girl is gathering the wave
Shattering on the shore.

¶

Մի քիչ բարձր,
ցածր
փանիքների վրա
թափվում է անձրևը:

Կարմիր, դեղին, ճերմակ
փանիքների վրա
թափվում է անձրևը:

Մի քիչ բարձր,
ցածր
դամբարանների վրա
թափվում է անձրևը:

Մի քիչ բարձր,
ցածր
լռության մեջ
ու կիսախուփ ու փակ աչքերի մեջ
թափվում է անձրևը:

Թ-ափվում է...

¶

The rain falls
Over the roofs
A little higher,
        Lower.

The rain falls
Over the
Red, yellow, white roofs.

The rain falls
Over the tombs
A little higher,
        Lower.

The rain falls
Into silence
A little higher,
        Lower
And the rain falls
Into half closed and closed eyes.

It falls...

¶

Ծառերի դեղին խշշոցը
Թափվում է մայթերին
Մարգարտահատիկ անձրևի պես,
Եվ քամին քշում է,
Տանում այդ խշշոցը՝
Մանրատված ու ձիգ,
Ինչպես մարդկային խոհերը՝
Հնացած, բայց գեղեցիկ:

ԱՐԱՐՉԱԳՈՐԾՈՒԹՅՈՒՆ

Ես գրկում եմ ծառը
այնքան՝ մինչև
Վերանում է սահմանն
իմ ու ծառի միջև:

Ես հղկում եմ քարը
այնքան՝ մինչև
Վերանում է սահմանն
իմ ու քարի միջև:

Ես հղկում եմ քարը
այնքան՝ մինչև
Հայտնվում է Աստված
իմ ու քարի միջև:

¶

The yellow rustle of the trees
Falls on the pavements
Like pearl raindrops
And the wind blows away
That rustle,
Fragmented and stretched
As human thoughts,
Worn out but beautiful.

CREATION

I embrace the tree until
The bounds disappear
Between the tree and me

I carve the rock until
The bounds disappear
Between the rock and me

I carve the rock until
God appears
Between the rock and me.

¶

Ծաղկից հոփ եմ քաշում՝
Աշուն է, խոր աշուն:

Ծառից հոփ եմ քաշում՝
Աշուն է, խոր աշուն:

Ժայռից հոփ եմ քաշում՝
Աշուն է, խոր աշուն:

Հողից հոփ եմ քաշում՝
Աշուն է, խոր աշուն:

Լույսից հոփ եմ քաշում՝
Աշուն է, խոր աշուն:

Հույսից հոփ եմ քաշում՝
Աշուն է, խոր աշուն:

Քամու բերանն ընկած
Երազները նախշուն
Փսփսում են իրար՝
-Աշուն է, խոր աշուն:

¶

I smell the flowers,
It's autumn, deep autumn.

I smell the tree,
It's autumn, deep autumn.

I smell the rock,
It's autumn, deep autumn.

I smell the soil,
It's autumn, deep autumn.

I smell the light,
It's autumn, deep autumn.

I smell my hope,
It's autumn, deep autumn.

Colourful dreams
Fallen into the jaws of the wind
Whisper to each other:
It's autumn, deep autumn.

¶

1.

Ուռիները փաք թախիծ են քամում
ջրերի վրա:

Այդ ուռիներին
և այդ ջրերին հասնելու համար
ինձ հարկավոր չէ ոչ մի նվաճում:

Իսկ թախիծն արդեն
փարիներ ի վեր իմ մեջ է աճում,
այդ ուռիների
և այդ ջրերի թախիծը մաքուր,
որ լվանում է ժամանակները
երկրային կյանքի ճղճիմ ախտերից.
լվանում է նա,
անկախ փաք ու պաղ եղանակներից,
անկախ մարդկային
բոլոր բախտերից:

Ինչպես հոսանքը լարերի միջով
ձգվում է հեռու,
և ապա նրանց ծայրերին մի տեղ
ծաղկում է մեկից,
այդպես ջրերի
և ուռիների թախիծը գալիս,
անտեսանելի, ամենաթափանց
լարերով գալիս,
և իմ սրտի մեջ,

¶

1.

The willows are oozing warm sorrow
Over the waters.

To reach those willows
And waters
I need no conquests.

But sorrow has grown in me
For years,
The pure sorrow
Of the willows
And the waters
Washing the dirt
Of this earthly life
Off the ages.
They wash it off
Whatever the weather
Our destiny
Or our future.

Like an electric charge which stretches along
Through the wires
And flourishes suddenly
Somewhere at the other end,
The sorrow of the waters
And the willows comes,
Moving through
Invisible, penetrating wires
And in my heart,

իմ հոգու խորքում
փխրության խոշոր
ծաղիկ է փալիս:
Նա իմ մեջ թախծի
վարդեր է թափում,
և ես ոչ մի փեղ
և ոչ մի բանի եփևից արդեն
էլ չեմ շփապում:

2.

Ուռիները փա՛ք թախիծ են քամում
ջրերի վրա:

Եթե արթնանամ ես այս թմբիրից,
ինձ համար զգեսփ կարեք ամպերից,
որ ես համբառնամ խորքը անհունի,
քանի որ անփեր այս պափմությունը
ոչ սկիզբ ունի,
ոչ վախճան ունի:

Ուռիները փա՛ք թախիծ են քամում
ջրերի վրա:

In the depths of my soul
Opens a large
Flower of sorrow,
It scatters roses of sorrow
In me
And I rush no more
Towards anything
Or anywhere.

2.

The willows are oozing warm sorrow
Over the waters.

If I wake up from this dream
Make me clothes from the clouds,
I shall ascend to the unknown
Since this story has no beginning
Nor an end.

The willows are oozing warm sorrow
Over the waters.

ԿԵՂԵՎԴ ԲԱՑ ԱՐԱ

Բա՛ց քո կեղևը, ծա՛ռ,
Ա՛ռ ինձ կեղևիդ մեջ...

Անցան օրեր մեկ-մեկ,
Անցան օրեր զույգ-զույգ,
Ճաշակեցինք և՛ սեր,
Ե՛վ պառապանք, և՛ սուգ:

Հոգնեցրին ինձ արդեն
Օրերը լայն ու նեղ,
Հոգնեցրին ինձ արդեն
Մեղավոր ու անմեղ,
Հոգնեցրին ինձ արդեն
Տխրությունն այս ցանցառ
Եվ կարոտներն այս խեղճ,
Դե բաց կեղևդ, ծառ,
Ա՛ռ ինձ կեղևիդ մեջ:

Ա՛ռ ինձ կեղևիդ մեջ.—
Այս անծաղիկ դարում
Ես կձուլվեմ քեզ հետ՝
Որպես փոքրիկ գարուն:

Որպես թաքուն թախիծ,
Տերևներիդ խորքում
Ես կփայլեմ փխուր
Ու կմտնեմ խոր քուն:

Ու հողմերը թե գան՝
Ինձ խլեն քո ձեռքից,
Ես կարթնանամ, ծա՛ռ իմ,
Կըորոտանք մեկից:

UNWRAP YOUR SKIN

Tree, unwrap your skin
And hold me within...

I lived my days by ones,
I lived my days by twos,
I tasted love
And torment and sorrows.

I am now weary
Of the days cramped and broad,
I am now weary
Of the sinful and of the good,
I am now weary
Of my wretched grief
And this yearning so poor,
So tree, unwrap your skin
And hold me within

Hold me within your skin
And I shall melt in you
As a spring blossom
In this flowerless day.

In the depths of your leaves
I shall glow
As some hidden sorrow
And I shall rest in deep sleep.

And when the storms come forth
To wrest me away from you,
I shall wake up, my tree,
To roar together with you.

Ես կձգվեմ քեզ հետ,
Ես կճկվեմ քեզ հետ,
Ու հողմերի ձեռքից
Ես կփրկվեմ քեզ հետ:

Ու մի թաքուն գիշեր,
Երբ բոլորը քնեն,
Ես քեզ կախարդական
Բառեր կըկրկընեմ.

Կերթանք կամաց-կամաց,
Կելնենք թաքուն-թաքուն,
Ու քնի մեջ նրան
Կդարձընենք անքուն:

Նրա երազի մեջ
Կախարդական մի ծառ
Մարդկային ձև կառնի,
Կշնկշնկա կամաց
Եվ մարդկային լեզվով,
Որպես լեգենդ պայծառ,
Կբարբառի նրան
Անհու՛ն, կորած մի սեր
Եվ մի կարոտ անծայր:

Հետո կամաց-կամաց,
Ցավով մեր շողշողուն,
Որպես կորած փեսիլք,
Մենք կթաղվենք հողում:

I shall stretch with you,
I shall creak with you
And from the winds and storms
I shall be saved with you.

And on a secret night,
When all fall asleep,
I shall repeat
Magical words to you.

Slowly we shall go,
In secret we shall creep
And make her sleepless
In her sleep.

In her dreams
A magical tree
Will take human form,
Gently it will shake
And with a human voice,
Like a bright legend,
Will tell her
Of an eternal, lost love
And endless yearning

And slowly
With our gleaming sorrow
We shall melt back into the earth.

ՋՎԱՐԹՆՈՑ

Ինչպես բոլոր լավերն այս աշխարհում,
Քեզ էլ պատրանքով ստեղծեցին,
Հետո լցրին խունկով, բույրով արևարյուն,
Հետո լցրին լույսով արեգնածին:
Հետո ավերեցին չստեղծողներն օտար:
Միշտ էլ կատակում է փիլիսոփա կյանքը...
Ուրիշների համար՝ դու պատմության վթար,
Իսկ ինձ համար... մնաց միայն պատրանքը:

¶

Քամին՝ մելանխոլիկ ջութակահար,
Քամին՝ դեղնաշշուկ, քամին՝ նարինջ,
Ամեն վայրկյան այստեղ՝ Ջվարթնոցում,
Ե՛վ ավերիչ է, և՛ արարիչ:
Ավերում է դեղին շիրմաթմբեր,
Ստեղծում է նորը հեռվում մի քիչ,
Քամին՝ սարսա՛փ-սարսու՛ռ, քամին՝ թմբի՛ր,
Քամին՝ նարի՛նջ-նարի՛նջ...

ZVARTNOTS

Like every good thing in the world
You too were created with suffering,
You were then filled with the sun-blooded scent of incense
And with sun-born light.
Then, you were destroyed by non-creators.
A trick played on you by Life...
You became a mere mishap of history to others,
For me... only the suffering remains.

¶

The wind is a melancholic violinist,
The wind has yellow whispers, the wind is orange
Every second a destroyer and a creator
Here at Zvartnots.
It destroys yellow tombs
Creating new ones a little further on
The wind is terror, shudder, the wind is numbness
The wind is orange – the wind is orange – orange...

Zvartnots: ruins of a seventh-century church near Yerevan,
destroyed during the Arab invasion and by a strong earthquake.

¶

Լույս է թափվում շուրջս,
լույս է թափվում շուրջս՝
փափո՛ւկ, անբռնելի՛, խայտաբղե՛տ,
լույս է թափվում շուրջս,
լույս է թափվում շուրջս՝
անհունորեն առատ և անաղետ:

Սահում է նա թեթև
երակներիս միջով
շշուկներով, շուքով երանելի,
փափուկ կլթոցներով
(ոչ աղմուկով, ճիչով),
շնկշնկում է իմ մեջ հազար ձևի:

Եվ այդ փափուկ լույսը
բիրտ աշխարհի վրա
թևածում է սիրո
անկաղապար հանգով.-
Մի ակնթարթ միայն
հաղորդակից եղա
մեծ խորհրդին սիրո,
և մնացյալ կյանքս
ապրում եմ ես ահա
այդ մի ակնթարթի
կախարդանքով:

¶

I'm in a shower of light
I'm in a shower of light,
Soft, unreachable, multicoloured,
I'm in a shower of light
I'm in a shower of light
Plentiful and harmless.

It streams with ease
Through my veins
Whispering with a divine glory,
Flowering gently
Without a shriek or a scream
It moves in me in a thousand ways.

And that soft light
Flies over the darkness of the world
With love's formless rhyme.
I felt the mystique of love
For a mere instant
To live
The rest of my life
With the enchantment of that moment.

ԵՍ ԱՅՍՏԵՂ ՉԵՄ ՀԻՄԱ

Լիալուսնի նման մաքուր և սպիտակ,
Լիալուսնի նման կապույտի մեջ դրված,
Շուրջը հազար գույնի ծաղկող ասպղավարդեր,
Շուրջը հազար խոհի ալիքներ են փլված...
Այսպես ծովն է կապույտ,
Եվ սեղանն է ճերմակ,
Աղի բյուրեղներն են շողում անփույթ,
Եվ մապներով իր պաղ
Պապառաքաղն ահա ափսեն է ճանկռոտում,—
Ես այսպեղ չեմ հիմա,
Ես այսպեղ չեմ հիմա-
Ես ինձ փչեմ հիմա՝
Խլածաղկի նման կփշրվեմ օդում:

Աննյութեղեն, անցավ, ճառագայթի նման,
Ինչպես առու բացես փոքրիկ ամբարպակից.
Միփքըս ինձ այսպեղից, առանց որ զգայի,
Ինձ ծայրեծայր քշեց, պարավ իմ հապակից:

Շուրջս հազար գույնի ծաղկող ասպղավարդեր.
Շուրջս հազար խոհի ալիքներ են փռված,
Լիալուսնի նման մաքուր և սպիտակ
Իմ դեմ ահա կլոր մի սեղան է դրված:
Ես նայում եմ, գիպեմ,
Ու ես չկամ հիմա,
Ուզում եմ լաց լինել,
Բայց զգում եմ, որ՝ չէ,
Մոլոր ուլի նման
Կըմկըկամ հիմա,
Կբառաչեմ ցավից,
Սակայն ցավը չկա,

I AM NOT HERE NOW

Pure and white as the full moon,
Placed upon the blue as the full moon,
Star roses flourishing in thousands of colors all around,
Around me collapsing waves of thoughts...
Before me the sea is blue,
And the table white,
Granules of salt sparkle without a care
And the fork scratches the plate
With its cold fingers.
I am not here now,
I am not here now –
I shall blow on myself now
And be scattered as a dandelion in the air.

Immaterial, painless like a ray of light,
As the flow of a stream through a small dyke
My mind carried me away unnoticed,
Away from my depths.

All around me star roses flourishing in thousands of colours,
All around me collapsing waves of thoughts,
A round table is placed before me
As a full moon,
I look on, I know,
And I am no more.
I wish to weep
But I feel
I shall bleat
From pain
Like a stray goat
But the pain is no more.

Առանց ակունք, անցավ, արցունքն էլ որտեղի՞ց,
Էլ որտեղի՞ց կգա:

Ուզում եմ լաց լինել,
Ու խշշում եմ կամաց,
Խշխշում եմ աշնան խաշամի պես,
Ինչպես...
Ավա՜ղ, խշխշում է սիրտը քամած:

Քո ձեռքի մեջ քամած,
Քո ձեռքերով քամած,—
Այդ «Քո» հիշողության հայտնության դեմ ահա
Ես մնում եմ անզոր, լուռ, կարկամած:

Ու նստած եմ թեև,
Թեև պաղ մատներով
Պատառաքաղն ահա ափսեն է ճանկռոտում,
Բայց այստեղ չեմ հիմա,
Ես այստեղ չեմ հիմա,
Ես ինձ փչեմ հիմա՝
Խլածաղկի նման կանհետանամ օդում:

ԵԼՔ

Առավոտյան, երբ որ նա դուրս եկավ փանից,
գլուխը պտտվում էր.-
թեև պայծառ օր էր,–

Could a tear come to be,
Without a source or without pain?

I wish to weep
And I rustle,
I rustle as the dry leaves of autumn.
As…
Alas, the rustle of a drained heart.

Drained in your hands,
Drained by your hands –
Before the revelation of memories of "You"
I remain powerless, silent, bewildered.

And although I am sitting here now,
And the fork is scratching the plate
With its cold fingers
Yet, I am not here now,
I am not here now,
I shall blow on myself now
And disappear as a dandelion in the air.

EXIT

He felt dizzy
As he left home in the morning.
Although the day was bright,

բայց արևգակն այնտեղ՝ հորիզոնում դրված
թթխմոր էր դեղին,
որ պտտվում նույնպես
և թթվում էր:
Թեև պայծառ օր էր, բայց երեկվա մուժը
ծխում էր դեռ աչքերում
ալկոհոլի թույնով,
և այդ մուժի խորքում որքան ուղեղ որ կար,
որքան մնացել էր
բուռն մխումներից օրվա անցուդարձի
և պապմության վրա,
և մեր ձգտումների,
քաղաքական սիրո,
քաղաքական լույսի,
պոռնկության,
և զենքերի վրա,
և բազմագույն բոլոր սարսափների...
ահա այդ մնացած չնչին բանը, կամ թե՝
ոչնչությունն այնտեղ՝ նրա գանգատուփում
պարուրված էր հեռու՛, անու՛շ մանկությունով:

Եվ նա օրորվելով
(որովհետև այնտեղ՝ գանգատուփում եղած
չնչին բանն այդ արդեն
էլ չէր կարող նրան կառավարել կարգին),
նա թույլ օրորվելով,
ինչ-որ անիրական խոսք էր նետում կյանքին,
ինչ-որ հավապարիմ երդման նման մի բան.
խոնարհվում էր մարդկանց և ծառերին դեռ թաց՝
իբրև ի պատասխան նրանց խոր հարգանքին:

The sun, placed over the horizon
Was yellow yeast
Also turning
And fermenting.
The day was bright but yesterday's mist
Was still smoking in his eyes
From alcohol poison
And that which was left of his brain in the mist,
That which remained
From the consumption of his daily life
And of history,
Of ambitions,
Of calculated love,
Of calculated light,
Of prostitution
And weapons,
And of all the multicoloured terrors...
That which was left or
The nothingness in his box of a skull
Was wrapped in distant, sweet childhood.

And trembling,
(For that which remained in the skull box
was already unable to command him properly)
Trembling slightly,
He threw some unreal words towards life,
Some kind of an oath of loyalty.
He bowed to people and the wet trees
As if in return for their deep respect.

Գիշերային խաղաղ, փաք անձրևից հետո,
դեռ թաց պերևները շողում էին փափուկ,
և ասֆալտի վրա անթիվ ջրափոսեր
արտացոլում էին շողանքն այդ խուսափուկ:

Եվ գծերը ճկուն կանանց մարմինների
լողում էին օդում՝ սարսռեցնող ու փաք,
և նա, անբանական մղումներին գերի,
ոչինչ ու ոչ մի բան, ախ, չէր տեսնում հստակ:

Եվ իր ներսում ծփող դապարկության ծովում,
մուժից ծնունդ առնող ալիքների վրա
լողում էին բուրյան ջրահարսեր ծիծղուն՝
և կայծկլտուն, բորբոք և հուրհրան:

Ոչ իր լեգենդներում, հեքիաթներում խոնարհ,
ոչ իր ժողովրդի զրույցներում խոսուն,
և ոչ կարոտակեզ հայացքներում խոնավ,
և ոչ արցունքների արտացոլքում հոսուն
ջրահարսեր բնավ չէին եղել, օ, ո՛չ,
չէին եղել այնպես,
ինչպես ծով չէր եղել,
բայց այդ պահին նրա զգացմունքը բողբոջ
խորտակում էր ահեղ մի ծովային եղեռն:

Եվ նա մայթի վրա,
անցորդների միջև,
ամբողջ հասակով մեկ թեքվեց ջրափոսին,
ասես հրեշտակ էր երկնքից ցած իջել՝
մարդկանց նվիրական երազանքը ուսին:
Նայում էին նրան

After the peaceful, warm rain of the night
The wet leaves were still shining mildly
And countless puddles on the asphalt
Were reflecting that escaping shine.

And the curved lines of female bodies
Swam in the air, inviting and warm
And he, the slave of irrational urges,
Could see nothing clearly

And in the wavy sea of emptiness within,
On the waves born from the mist
There swam playful mermaids
Gleaming, provocative and fiery.

Never in his legends, or his tales
Nor in the stories of his people,
Never in the moist looks of burning yearnings
Or in the flowing reflections of his tears
Had there been mermaids before,
As there had never been
Seas before,
But at that moment, his burgeoning feelings
Were drowned by a mighty sea assault.

And on the pavement
In full view of the pedestrians
He bent over the puddle
As if looking for an angel descended from heaven,
Holding people's most cherished dreams upon his shoulders.
And people looked at him

և զարմանքով, և լուռ,
այդ անսովոր մի քիչ, խենթի նման մարդուն,
ոմանք մի անմեկին հիացմունքով անլուր,
ոմանք՝ մերժողական հայացքներով արթուն:

Նայում էին, իսկ նա
վեր չէր կարող նայել,
նա հազիվ էր պահում գանգը, որ ցած չընկնի,
կախարդել էր նրան ջուրն այդ, և հմայել
ջրափոսում ճոճվող արփացոլքը երկնի.—
Գուցե այնպեղ հանկարծ
ջրահարսե՞ր լողան,
գուցե մե՞կը լողա, կամ կու՞րծք մի հոլանի,
սակայն լողում էր լոկ թարս ծառերի պողան՝
գլխի վրա՝ ճերմակ – կապույտ ամպհովանի...

Եվ մոտեցավ նրան
նիհար մի ծերունի,
նա մոտեցավ դանդաղ ու կռացավ,
զննողական մի քիչ նայեց ջրափոսին,
-Վերջը երևու՞մ է, -ծիծաղեց ու անցավ:

Հետո ջրափոսում
էլի երկինք պաղեց:
Հետո ջրափոսում իր պապկերը լողաց:
Նա վեր կացավ, մի կերպ պոկվեց ինքն իրենից
և հեռացավ՝ հոգին անձրևի մեջ թողած:

Astonished and silent,
At the strange madman,
Some with an unexplained admiration,
Some with a conscious, rejecting gaze.

They looked. But he
Could not look up
Barely able to keep his skull upon his shoulders,
The water had left him spellbound,
Bewitched by the swinging reflections of the sky –

Perhaps mermaids will
Appear any minute now,
Perhaps only one, perhaps a bare breast,
Instead, there swam only the reversed rows of trees
With a blue-white canopy over their heads...

A thin old man
Came along.
He approached slowly and bent over,
Looked carefully into the puddle for a while
– Can you see the end? He laughed and moved on.

Then a sky
Froze in the puddle again,
Then his image swam in it,
He got up, somehow managed to tear his body free
And walked away, leaving his soul in the rain.

ՊՂՆՁԵ ՎԱՐԴ

Վերջին դղրդոցից առաջ.-
դա կարող է լինել ասենք թե անկումը մի երկնային
մարմնի,
որը թափառել է տիեզերքի բոլոր անկյուններում
և կրակ է կպրել մեզ փնտրելու տենդից.—
կամ կարող է լինել սրտի անկումն, ասենք,
մարմընի մեջ—
կամ միջուկի պայթյուն,
որի բեկորները չենք հասցրնի տեսնել,
ինչպես չենք հասցնում՝
տեսնել ամենալավ օրերը
մեր կյանքի՝
այնքան որ արագ է կյանքը հարվածում մեզ...

Վերջին դղրդոցից առաջ.—
և որ դա թող լինի ընդամենը, ասենք,
ինչ-որ ողորմելի մի երկու ժամ,
պետք է վերջին անգամ հեռուստացույցն արագ
կարգի բերել
և իմանալ՝ արդյոք կապարվե՞լ են բոլոր պլանները—
մսի, ձվի, կաթի—
և այն պլանները, որոնք կապարվում են առանց դրանց,
հետո՝ գիր գրելու, գիրք տպելու,
հետո՝ ալկոհոլի, ծխախոտի,
ով որքա՞ն է երգել, որքա՞ն ժամանակում,
մեր կարևոր մարդիկ ովքե՞ր են և ի՞նչ են անում հիմա—
և որ՝ ձվեր չկան, որտեղի՞ց են ծլել հավեր խանութներում,
և թող ներվի ասել, նրանց ձվերն ու՞ր են,
գուցե ճամփորդել են ավելի տաք երկի՞ր՝ որ
հավիկներ դառնան,
հետո ցելոֆանե թիկնոցները հագած՝ մեզ մոտ
վերադառնան.—

A COPPER ROSE

Before the final roar –
Which could, perhaps, be the destruction of a heavenly body
That having travelled to all the corners of the universe,
Would have turned into a ball of fire from the heat of the desire to find us –
Or the failure, perhaps, of the heart in the body –
Or the explosion of an atom
The fragments of which we shall not live to see
Just as we fail to see the best days of our lives
Due to the speed with which life strikes us...

Before the final roar –
And that could perhaps be
A mere couple of hours,
We should quickly tune in to the TV channels for one last time
To learn if all the plans regarding eggs, meat, milk have been
                                    accomplished –
Or the plans carried out without them,
Then those of writing and publishing,
Of alcohol and tobacco,
To know who sang how much and for how long,
Who were our important ones and what they do now,
And that if there are no eggs around, then where do the chickens in the
                                    stores come from?
And, forgive me for asking, but where are their eggs?
Perhaps they have travelled to warmer countries to become chickens
And return in their plastic jackets –

պիտի հասցնել նաև թերթել թերթերն ամբողջ,
որ մեզ համար դժվար գործ չի եղել բնավ՝
«երկու րոպե կամ պաս՝
հերիք է, որ բոլորն իրար վրա կարդաս...»,
հետո պիտի բացել ամսագիրը, որտեղ, թող թույլ տրվի ասել,
բառերն իրար վրա թափթփված են անկարգ,
խառնիխուռն, մեռած, անկիրք, անհրապույր...
ինչպես քաղաքային աղբանոցում...

- պե՞տք էր վերցնել մի փայտ
և հալածել այն խեղճ շուն ու կապուներին,
որոնք աղբանոցում ուտելիք են փնտրում,
և, որ ազնվորեն պիտի խոստովանել, գտնում են
առատորեն.-
ու՞ր հալածել նրանց— քաղաքային այգի՞,
որ ծաղիկներ տեսնեն և օ՞դ շնչեն.—
սակայն չէ՞ որ օդը անհիշելի վաղուց ճչում է
ասֆալտի տակ,
թե ծաղիկներն այնտեղ կործանվել են իսպառ—
մի ճեղք, մի դուռ բացեք—
բայց բոլորը հիմա զբաղված են միայն ճեղք
փակելու գործով,
որ չգիտեմ՝ ի՞նչը, բայց ինչ-որ բան հանկարծ
քանդուքարափ չլինի.—
այս մի ճեղքը փակենք,
այն մի ճեղքը փակենք,
այս մի մեղքը չափենք,
այն մի մեղքը չափենք.—

Վերջին դղրդոցից առաջ.—
դա կարող է լինել ասենք թե անկումը մի երկնային մարմնի—

We should also find time to leaf through all the newspapers,
Never an arduous task for us anyway,
Two minutes or ten
And you've read them all.
Then you should open the journals where, allow me to say,
The words are scattered around in a mess
Confusing, dead, emotionless and without charm …
As in the city dump.

Should one take a stick
And chase away the poor cats and dogs
Scavenging for food in the dump
Which, one should admit sincerely they find in abundance –
But where should one chase them to? The city park?
To see some flowers and breathe some air?
But is it not true that the air is screaming since long forgotten days
From under the asphalt
About the flowers that perished there. Open a crack, a door –
But everyone is too busy sealing the cracks these days
To keep, I don't know what, but to keep something from
Falling apart.

> To seal this crack
> To seal that crack
> Measure this sin
> Measure that sin

Before the final roar,
Which could, perhaps, be the destruction of a heavenly body,

և այդ ահաբեկիչ նյութը երկնային է, գիտե՞ք` ինչի՞ համար.
միայն նրա համար, որ այնտեղ է` երկնում...
իսկ մենք երկրային ենք,
մրջյունների նման հողին կպած,
նրանց նման թթու.
(մենք այս բանի մասին իմացություն առանք, երբ որ մարդը
կերավ նախ մրջյունին, հետո մարդուն կերավ)
և մեր աշխատանքի միակ օրինակը հենց նրանք են, որ կան,
մինչդեռ երազանքը, որով լցված ենք մենք,
ինչպես որ կրակով` մարմինն այն երկնային,
մի սև գրոշ չարժե նրանց համար, ովքեր
երազում են մարդկանց կառավարել միայն մրջյունների նման`
երբ որ պետք է` նրանց,

նրանց աշխատանքը փառաբանել,

երբ որ պետք է` ուտել,
երբ որ հարկավոր է` այնպես անել, որ այդ

մրջյունները իրար ուտեն—

միթքս մանրամասնե՞մ —իրար հոշոտելու ձևն են

սովորեցնում

անգամ գազաններին, որոնց կոչումն արդեն իրար

հոշոտելն է...

Վերջին դղրդոցից առաջ.—

որ կարող է լինել բարբառելը հողի,
այն, որ ասում ենք, թե`
ինչե՞ր կլսեինք, եթե հողը հանկարծ լեզու առներ—
պետք է մեր մարմնի հողը կահավորել
բոլոր այն քարերով, մետաղներով գույն-գույն, որ

քամել ենք հողից,

և շաղախել նրան հողի փված անթիվ բարիքներով,

And do you know why that body of terror is heavenly?
Only because it is up there in the sky,
And we are earthly,
Stuck to the earth as ants
And sour as ants
(We learnt about this fact when man first ate the ant and
then he ate man),
And we hold them as our role models in our work
While dreams, with which we are filled,
As that heavenly body is filled with fire,
Cost less than a dime for those who
Dream of governing man like mere ants.
Praise their work,
                    Eat them if needed
Make them eat each other from time to time –
In other words, they teach savaging
Even to the beasts; savages by nature…

Before the final roar –

Which could, perhaps, be the speech of the earth.
What, we wonder
Would it say if it ever spoke,
That we should adorn the earth within our bodies with all the stones,
Colourful metals which we drained from it –
We should mix it with all the goodness given to us by the earth

և կաթեցնել վրան անմահության նեկտար՝
երկնի շրթունքներով կրկին հողից քամված.
ամբրոս, հասմիկ, նարգիզ և մեխակներ,
շուշան, վարդեր, կակաչ, մանուշակներ և հիրիկներ ցանել
մեր մարմնի անկուշտ հողի վրա—
և տեսնել, թե վերջին կործանումից հետո
այդ բոլորից մի բան կծլի՞ մեր մարմնից,
ասենք՝ չնչին մի բան —ՊՂՆՁԵ ՎԱՐԴ —
եթե ծնվեց,

ապա

մարդը կրկին կապրի,
կամ իրավունք ունի դեռ ապրելու...

¶

Գիշերվա մեջ կժերն իրար
Շշնջում են կավե խոսքեր,
Եվ կենդանի շշուկներից
Կավե շուրթերն են դալկանում,

Հողի խորունկ շերտերի մեջ
Զնգզնգում են ջրի հոսքեր,
Եվ կարոտը, կծկըվելով,
Հեռու սարերն է բարձրանում:

Վե՛ր կաց, վե՛ր կաց, քնած մանուկ,
Կախարդանքից խոր գիշերի.

And drip into it the nectar of eternal life
Drained too from the earth by the lips of heaven,
Sprinkle ambrosia, jasmine, narcissi and carnations
Lilies, roses, tulips and violets
Over the insatiable earth in our bodies –
And see if, after the final destruction,
Anything will grow in our bodies from all that,
Something very small, perhaps – A COPPER ROSE –
If it does
      then
           man shall live again
Or have a right to live, at least…

¶

The pitchers are whispering
Words of clay to each other, at night
And the clay lips turn pale
From those living whispers.

Streams of water ring
In the deep layers of the earth
And yearnings retreat
To far away mountains.

Wake up, you sleeping child
From the spell of the deep night,

Տե՛ս, կավի ձայնն է թանձրանում,
Օղակների մեջ կժերի:

Երգը հանգչում է քիչ առ քիչ
Ասպղերի խուլ կայծկլտոցով,
Էլ ոչ մեկը չի պալու քեզ
Կարոտների բույրը խոցող:

Ոչ մեկը քեզ չի պալու բախտ,
Ոչ սե՛ր, ոչ խի՛նդ ու ոչ թախի՛ծ,
Մի բուռ հավատ, մի քիչ Աստված,
Ոչի՛նչ, ոչի՛նչ, բացի վախից:

Վե՛ր կաց, վե՛ր կաց, քնած մանուկ
Կախարդանքից խոր գիշերի.
Տե՛ս, կավի ձայնն է քարանում
Օղակների մեջ կժերի:

ՄԻ ՔԱՆԻ «ԵՐԱՆԻ», ՈՐՈՆՔ ԻՆՔՆԱԲՈՒԽ ԿԵՐՊՈՎ ԴՈՒՐՍ ԹՌԱՆ ՆՅՈՒ ՅՈՐՔԻ ՄԱՆՀԵԹԵՆ ԹԱՂԱՄԱՍՈՒՄ 1979-ԻՆ

Երանի այն փների,
որոնց փանիքներին դեռ չեն փնկել
հսկող աչքն այն կարմիր՝
իբրև արյունարբու ազդանշան,
որ մթի մեջ թռչող օդանավը՝
այդ թառանչող հսկա կույր թռչունը հանկարծ

See how the voice of the clay
Thickens in the ring of the pitchers.

The song dies away slowly
With the dim sparkle of the stars
No one will ever bring you
The painful scent of yearnings again.

No one will ever bring you fortune
Or love, joy or sorrow,
A handful of faith or a fraction of God
Nothing but fear.

Wake up, you sleeping child
From the spell of the deep night,
See how the voice of the clay turns to stone
In the ring of the pitchers.

SOME WISHES WHICH SPRANG OUT SPONTANEOUSLY IN MANHATTAN, NEW YORK, IN 1979

Blessed be the houses
Over which the guarding red light hasn't yet
Been thrust
As a bloodthirsty alarm
For the plane,
That blind, giant bird flying in the dark,

63

չբախվի մութ բախտին
և ցրիվ գա՝ որպես հիշողություն հանգած...

Երանի այն փներին, որոնք դեռ կարող են
թռչունների նման
ծվարել ու ննջել ծառերի սպվերներում,
որոնք ոչ թե անմիտ
հպարտության ողորկ, փայլուն մոլուցք հագած,
մխրճվել են երկինք
և ահազդու վերից
ճոճվում են մելամաղձոտ մարմինների վրա՝
որ նստած են, պառկած,
արթուն են կամ հարբած...
այլ երանի նրանց՝
այն փներին խոնարհ,
որոնց վրա երկինքն ինքն է իջնում փափուկ,
և քնքշորեն, մաքուր,
շոշափելի՝ որպես քողը սիրած կնոջ,
և նրա պես աննյութ ու խուսափուկ,
այնքան կախարդական մրմունջներ է լցնում
դռնից, պատուհանից,
աչքերից ներս,
որ թվում է՝ կյանքը
հենց դրախտ է, որ կա,
և մեզ արարողը,
երկար տարիների մոռացումից հետո,
անակնկալ հանկարծ հիշել է մեզ,
մեզ-
իր կորսպական զավակներին, ավաղ,
որ դրախտից մի օր դուրս մղվեցինք դեպի

Not suddenly to strike dark fate
And explode as some shattered memory...

Blessed be the houses which can still
Hide and rest in the shadows of trees
Like birds,
Which have not pierced the sky
Wearing an idle shiny
Addiction for pride,
Swaying from that
Fearful height
Over melancholic bodies
Who are sitting perhaps
Or lying awake or drunk...

Then blessed be the bowing houses
Over which the sky itself bends softly
With affection, pure,
Tangible as the veil of the beloved woman,
Immaterial and aloof as her,
Bringing in such magical murmurs
Through the doors, windows,
Through your eyes
That make you feel
That life is paradise
And the Creator
After long years of negligence
Has suddenly thought of us
Us –
His lost children who were, alas,
Expelled from paradise

դժոխքը քաղաքների
և լուռ կոտորվում ենք խոնարհ ու հեզ:

Եվ երանի նրանց՝
թռչուններին այն սուրբ,
որոնք գլխի ընկան և շուտ փախուստ տվին
այս մեծ հրեշներից՝ փայլուն ու երկնահուպ,
որ չփտի երկինքն հենց իրենց մեջ շնչող.-
ախ, երանի նրանց ոգուն չըերկնչող
և սխրանքին անմիտ՝
քանզի նրանց միտքը
իրենց ստեղծողի մոտ է պահվում.-
իսկ մեր միտքը, որ մեզ
տրվեց անվերադարձ,
(թող ինձ ներեն մտքի ասպետները այսօր),
մթագնում է սաստիկ,
 ամեն վայրկյան փտում, լլկվում, կաղապարվում:

Ուզում եմ ձեզ ասել,
թե երանի նրանց,
ովքեր ոչ թե պիտի մեր երկիրը լքեն
և կամ պիտի սուրան,
յոթը երկինք ճեղքեն՝
ուռած երակներով և աչքերով ուռած,
այլ երանի նրանց,
ովքեր ուրի՜շ-ուրի՜շ-ուրի՜շ աշխարհների
անգո հմայքները պիտի կրկին հերքեն,
և եթե կան նրանք՝
այդ քաջ մունետիկներն անգո աշխարհների,
պիտի մղվեն երկիր,
և հիացքով անհուն,

To the hell of the cities one day
Where we are crushed in silence, humble and obedient.

And blessed be
Those holy birds
Who realized and fled quickly
From those shiny sky-squeezing demons
To keep the skies, breathing in their souls, from rotting.

O, blessed be their fearless souls
And their vain heroism
For their minds
Are kept with their Creator –
While ours,
Given to us to keep as a gift
(Forgive me knights of wisdom),
Darkens terribly
Each moment rotting, muting, shrinking.

I wish to say
Blessed be those
Who shall not leave the Earth
Or speed off
Splitting seven skies
With puffed up veins and eyes.
Then blessed be those
Who shall deny again
The non-existent charm of
Other, other, other worlds
And if they do exist –
The brave messengers of the non-existent worlds –

խոնարհությամբ սրտի,
մեզնից փոխ առնելով չքնաղագույն բառեր՝
սիրո, երջանկության և աստղերի մասին,
մեր այս պայծառ երկրի հմայքները երգեն...
Բարի գալուստ նրանց,
թող գան՝ ինչպես կուզեն,
մենք փերուներ կտանք թզենի սուրբ ծառի՝
եթե հագուստ չունեն –
մարդ են –
եթե մերկ են:

ՓՈԹՈՐԻԿ

Ես ուզում էի
չհիշել ոչինչ,
ես ուզում էի
համրանալ մեկից,
ավազների պես լռել հավիտյան,
ազատված մտքի զենքից ու զորքից,
ավազների պես
փռվել ծովափին՝
խշշոցների մեջ հավիտենական,
բայց քամիները գալիս ցամաքից
և գնում էին,

They shall be led towards Earth
And with infinite enchantment
Bowing their hearts,
Borrowing from us the most beautiful words
Of love, happiness and stars,
Shall sing the charm of our glowing earth.
"Welcome" we shall say,
Let them come as they please
We shall give them holy fig leaves
Should they need clothes –
Who knows,
In case
They be naked.

STORM

I wished
To remember nothing,
To turn mute at once,
Silent forever like the sands,
Freed from the aggressions of the mind
To lie on the beach
Like the sands
In the eternal murmur.
But the winds kept coming from the shore,
Rushing

ծովի լայնարձակ ազատության մեջ
կորչում ինքնակամ:

Նրանք ծերպերից փախչելով խելառ,
ալիքների հետ զգվում թախծալի,
և գնում էին
անհույս ու մենակ
դեպի հեռավոր խորքերն անցյալի:

Եվ խառնըվում էր ամեն ինչ իրար՝
մութ փագնապների
կրակով լիզված,—
երկինքն արևի պայծառությունը
կորցնելու ցավից
լալիս էր հուզված,
և լեռները մութ ուրվապատկերով
իրենց խորքերում
լուռ պըկում էին
փագնապի,
հույզի
մթին կրակներ,
և ծովը անհուն ալեբախությամբ
արթնացընում էր քնած երակներ:

Ես ուզում էի չհիշել ոչինչ,
ես ուզում էի
համրանալ մեկից,
ավազների պես՝
շպրտված ափին,
ազատված մտքի զենքից ու զորքից:

To vanish voluntarily
In the wide freedom of the sea.

Fleeing in madness from the cliffs
They embraced the waves in sorrow
And flew
Towards the remote depths of the past
Hopeless and alone.

And everything was disturbed
Licked by the fire
Of dark fears –

The sky was weeping from the pain
Of losing the brightness of the sun
And the mountains with their dark silhouettes
Were holding in silence
Deep within,
Stiff, dark veins
Of fear
And emotions
And the sea was awakening
The sleeping fires with its fearful movements.

I wished to remember nothing,
I wished to
Turn mute at once
Like the sands
Thrown on the beach
Freed from the aggressions of the mind.
I wished to keep

Ես ուզում էի պատկերդ միայն,
պատկերդ պահել
իմ աչքերի մեջ,
ինչպես ծովափնյա քարերն են պահում
պատկերը ծովի,
ես ուզում էի լռկ քնքշանքներից
հետքերը պահել իմ լռության մեջ,
ինչպես շուրթերն են պահում հետքերը
համբույրի ցավի...

Սակայն ամեն ինչ խառնըվում իրար
և կրկին ուրիշ պատկեր էր առնում,
երկինքն այնպես էր լալիս խելագար,
ծովը այնպես էր խփում ափերին,
քամին այնպես էր վայում կապաղի,
որ կարծես վերջին մեծ կործանումի
սարսափն էր այդպես շուրջս սավառնում:

Եվ արփասուքի անհամար գետեր
փիղմ էին խառնում
կապույփին ծովի:
Նրա կապույփին
խառնում էին փիղմ
և մաքրությանը՝
գորշ աղտեղություն,
իմ սրփին նրանք,
իմ փխուր սրփին
փաթաթում էին
մի անպանելի ու գարշ սեղմություն:

Only your image
In my eyes
As the rocks on the beach
Hold the image of the sea.
I wished to keep in my silence
Traces only of your affection
As lips hold on to traces
Of the pain of a kiss…

But everything was disturbed
And assumed a different form,
The sky was weeping in such frenzy,
The wind was howling in such rage
As if this was the terror
Of the final great destruction hovering around me
And countless rivers of tears
Were mixing grime
With the blue of the sea.
They were mixing grime
With its blue
And grey filth
With its purity
And around my heart,
Around my sad heart
They placed a ring of
Intolerable tightness.

Եվ այդպես ծովը՝
կապույտը,
ոգին
դանդաղ մեռնում էր իմ աչքերի դեմ:

Իսկ ես
այդ հսկա աճյունի առաջ
(աճյուն, որի մեջ
պեղավորվում են անցյալն ու ներկան
և հուզումների փագնապն ամեհի),
կանգնել էի լուռ,
և ոչ մի շշուկ,
և ոչ մի հառաչ:
Ես կարծես մեկից քարացել էի:

Ես գիտեմ,
ծովը
կծնվի նորից,
ես գիտեմ,
երկինքն
էլ լաց չի լինի,
բայց ես
գնացած
կլինեմ արդեն.—
ինձ մեկը ափից վերցրած կլինի,
նետած կլինի խորքերն անհունի:

And the sea,
The blue,
The spirit
Was dying slowly before my eyes.

And I
Was standing in silence
Before that huge corpse
(A corpse holding present and past
And the fearful might of its feelings)
Without a whisper,
Without a sigh
As if I had turned to stone at once.

I know
The sea
Shall be reborn,
I know
The sky
Shall not weep again
But I
Shall
Be gone already –
Someone will have picked me up from the shore
And thrown me into the depths of infinity.

¶

Քամին, ձյունե շորեր հագած,
թափառում է փողոցներում,
աննյութեղեն քողի նման
ծածանվում է պաղ եթերում:
Եվ սպիտակ փանիքներին,
փաք ծխի մեջ ծվարելով,
աղավնիներն են պպպվում՝
հողմի պարերը պարելով:
Հողմը երկինք է բարձրանում՝
սպիտակ սյուն՝ փարածքի մեջ,
ճերմակն այնքան է թանձրանում՝
սև է դառնում հայացքի մեջ:
Մարսռում է սիրտս փխուր,
բուքը իմ մեջ է թափանցում,
փանս դուռը փակում եմ խուլ
և իմ հոգու դուռն եմ բացում,
որ որքան կիրք ու փաք հույզեր
մնացել են, թողնեն գնան,
քո անիրավ ցրտերի մեջ
չսառչեն ու չհամրանան:
Դու, որ ամեն կողմից հիմա
գալիս ես փուն փագնապելով,
դու ինձ կապված պիփի գփնես
քո ձյունեղեն պաղ կապերով:
Հողմը երկինք է բարձրանում՝
սպիտակ սյուն՝ փարածքի մեջ,
ճերմակն այնքան է թանձրանում՝
սև է դառնում հայացքի մեջ:

¶

The wind is wandering through the streets
Wearing clothes of snow.
It flies in the air
As an immaterial veil
And the doves
Circle over the white roofs
Hiding in the warm smoke,
Dancing the dance of the storms.
The storm reaches the skies,
A white pillar in the wide space
The white becomes so bright
It turns black to the eye.
My heart shakes in sorrow,
The cold wind drills through my bones,
I close the door of my house firmly
And open the door to my soul
For all remaining emotions and desires
To take their leave,
Not to freeze and turn silent
In your ruthless chill.
You, who come home disturbed
From wherever you go,
You shall find me tied up
With your snowy, cold ropes.
The storm reaches the skies,
A white pillar in the wide space
The white becomes so bright
It turns black to the eye.

ՇՇՈՒԿԻ ՆՄԱՆ

Ինչպես շշուկն է արձագանք փալիս
քար լռության մեջ,
այդպես այս փղմոփ,
գաղջ աղմուկներում
ես որոնում եմ
փոքրիկ լռություն:

Փոքրիկ,
բայց այնքան հսփակ լռություն,
որ կարողանամ լսել ինքըս ինձ,
որ կարողանամ այդ լռության մեջ
ինքըս ինձ զգալ
իբրև մի ամբողջ,
մեծ լրիվություն:

Թե ոչ, ես այսպես
ամեն ինչի հեփ ճակափ եմ փալիս,
ամեն ճիչի հեփ փշրվում եմ ես,
ամեն կանչի հեփ
իմ ողջ էությամբ
խոժոռվում եմ ես,
բայց և ողջ կյանքս կափակի փալիս,
հիմարի նման անցնում եմ այսպես...
անցնում եմ՝ աչքս միշփ ճանապարհի՝
որ ինչ-որ մի փեղ պիփի լինեմ ես,
որ ինչ-որ մի փեղ մի բան կա բարի,
որ դա մի բանն է հենց իմ երազած,
որ եթե հանկարծ
մեռնեմ չփեսած,
ուրեմն՝ ապրել եմ ինքս ինձ կիսած:
Ուրեմն՝ ապրել եմ փշրանքների մեջ,

LIKE A WHISPER

Just as a whisper echoes
In total silence,
I seek
A small silence
In the slimy,
Sticky noises.

A small silence
Clear enough
To hear myself
And to feel myself
In that silence
As one
Big wholeness.

Or else,
I oppose everything,
I shatter with every cry,
I frown
With all my existence
With every call
But live my life as a joke
And walk like a fool...
I walk with an eye always on the road
To see if there is a place where I should have been,
A place with something good
And whether that something good
Is what I've been dreaming of
Which if I die without seeing,
I've lived my life only as a half,
I've lived in fragments

առանց մի անգամ ամբողջանալու,
և մի՞թե երբեք չի կարող լինել
այդպիսի մի բան՝
առանց ջանալու,
առանց աղերսանք
կամ խեղճանալու:

Ես որոնում եմ փոքրիկ լռություն,
որտեղ պիտի ես ծիծաղեմ անձայն,
ինչպես աստղերն են ծիծաղում վերից,
պիտի հավատամ՝
առանց ճչալու,
և պիտի սիրեմ՝
առանց քեզ, ի՜մ սեր, և ինձ խղճալու:
Եվ հետո պիտի թաղվեմ ես անձայն,
ինչպես մշուշն է մաղվում ծերպերից՝
հովիտների մեջ լուռ լճանալու:

Միթե՜ ես այդպես չեմ վերջանալու:

ՏԵՍԻԼՔ

Ահա, մենք բոլորս, որդիքն արեգակի,
իմաստնորեն նստած աշնան պերևներին՝
որպես մակույկներում,
և մեր թախծապարուր հայացքները հառած
ինքնամոռաց հեռուն,

Never once been a whole.
Could this ever happen
Without effort
Without begging
Or humiliation?

I seek a small silence
In which to laugh silently
As the stars laugh from above.
I shall believe
Without screaming
And I shall love
Without pitying myself or you, my love
Then I shall be buried in silence
As the mist sinks from the cliffs
To turn into a silent lake over the valleys

How could my end be otherwise?

VISION

We children of the sun
Sitting wisely in autumn leaves
As in small boats,
Staring with a sad gaze

նավարկում ենք դեպի
անդառնալի ձմեռ:

...Ինձ գարու՞նն է ծնել...
...Ինձ ամա՞ռն է ծնել...
...Ինձ աշու՞նն է ծնել...

Ինձ մի մակույկ փվեք աշնան փերևներից,
որ նավարկեմ դեպի այն աշխարհը անհայփ,
որփեղ սպասում են ինձ պսպղուն ասփղեր,
անոփնակոխ ձներ:

...Ինձ աշու՞նն է ծնել...

Ահա, մենք բոլորս, որդիքն արեգակի,
իմասփնորեն նսփած աշնան փերևներին՝
որպես մակույկներում,
և մեր թախծապարուր հայացքները հառած
ինքնամոռաց հեռուն,
նավարկում ենք դեպի
անդառնալի ձմեռ:

ԵՍԵՆԻՆ

Տառապանքում կա ձայն,
Եվ ձայնի մեջ կա լույս,
Եվ լույսի մեջ ոգի.—

At the distant eternity
Sail towards the inevitable winter.

Was I born from spring?
Or from summer?
Or autumn?

Give me a boat of autumn leaves
To sail towards that unknown world
Where glittering stars await me,
Where virgin snows await me.

Was I born from autumn?

We children of the sun
Sitting wisely in autumn leaves,
As in small boats,
Staring with a sad gaze
At the distant eternity
Sail towards the inevitable winter.

YESSENIN

There is sound in suffering
And there is light in sound
And there is spirit in light

Եվ ոգու մեջ ահա դու կանգնած ես մենակ,
Որպես փրուբաղուրը չթվարկված զորքի:

Բարի՛, եղբայրորե՛ն ինձ ասում ես՝ ապրիր,
Թող բուքը քեզ երբեք չհալածի,
Թող չծեծի՛ քամին, մրրակ չիջնի՛ վրադ,
Ոչ որ քեզ ճորտության
Համար թող չվարձի,
Ասում ես ինձ՝ ապրիր ուրախ ու երջանիկ,
Առանց հարսպության, առանց փառք ու գանձի,
Ասում ես ինձ՝ ապրիր անխարդախ ու աննենգ,
Ասում ես ինձ՝ ապրիր,
Ապրիր՝ որպես բույրը ցորեն հացի,
Եվ մեկ–մեկ էլ կրկնիր՝ «Եղբայր ենք մենք»:

Ոչի՜նչ, ասում ես դու: Մի՛ փառապիր, ոչի՜նչ,
Լեռները չեն չոքում քամիների վախից.—
Եվ օրորվում ես դու՛,
Եվ շնկշնկում ես դու՛,
Որպես փափասփանի մի անկյունում բուսած
Հավերժական թախիծ:

Ոչի՜նչ, ասում ես դու, ոչի՜նչ, ոչի՜նչ, ոչի՜նչ,
Տե՛ս չի եղել ոչի՜նչ, չի լինելու ոչի՜նչ,
Մի պուփ մարդկայնություն պահիր կրծքիդ խորքում,
Եվ չեն մթնի երբեք աչքերդ ջինջ:

Ես հավապում եմ քեզ, երբ նայում եմ ցավիդ,
Եվ հավապում եմ քեզ, երբ նայում եմ ահիդ,
Եվ քո խաչը ահա ես փանում եմ հլու.—

And within the spirit you stand alone
As the troubadour of some endless army.

With kindness, as a brother, you tell me to live,
May the storms never get you,
May the winds never strike you, may no whip ever hit you,
May no one ever hire you
As a slave.
You tell me to live happily
With no wealth, glory and treasures,
You tell me to live a good and honest life,
You tell me to live
As the sweet smell of wheat bread
And to repeat now and then "we are brothers".

It is all right, you tell me, do not suffer,
Mountains never kneel in fear of winds –
And you swing
And you rustle
Like some eternal sorrow
Born in some corner of the wide plateau.

It is all right, you tell me, all right, all right, all right,
Look, there was nothing and there will be nothing,
Keep a drop of humanity in your heart
And your clear eyes shall never dim.

I believe you when I look at your pain
And I believe you when I look at your fear
And I carry your cross faithfully

Եվ չգիտեմ՝ վաղվա խաչերի մեջ
Մեր խաչն ո՞վ է արդյոք շալակելու:

Ոչի՜նչ, ասում ես դու, մի՛ փառապիր, ոչի՜նչ,
Լեռները չեն չոքում քամիների վախից.–
Եվ օրորվում ես դու՛,
Եվ շնկշնկում ես դու՛,
Որպես փափասփանի մի անկյունում բուսած
Հավերժական թախիծ:

¶

Ելնեմ, արևին գնամ ընդառաջ,
մաքրեմ իմ միջից բողոք ու հառաչ
և զվարթ խնդամ,
օդի մեջ բռնեմ մի փոքրիկ թռչուն,
գողանամ նրա ծիծաղը հնչուն,
սիրտս նրան տամ:

Իմ սիրտը նրա կրծքի մեջ դնեմ,
և նրա կյանքով կյանքս կրկնեմ՝
անհոգ ու բարի,

Not knowing who will carry ours
Among tomorrow's crosses.

It is all right, you tell me, do not suffer,
Mountains never kneel in fear of winds
And you swing
And you rustle
Like some eternal sorrow
Born in some corner of the wide plateau.

Sergei Yessenin (1895-1925), Russian poet, one of the most lyrical
figures in Russian classical poetry, who committed suicide in a hotel
in St. Petersburg (then Leningrad) a few years after the Russian
Revolution.

¶

I should go to greet the sun
To cleanse myself from sighs and sorrow
And laugh sincerely
To catch a small bird in the air,
Steal its echoing laughter
And give my heart to it.

To place my heart in its chest
And repeat my life with its,
Carefree and kind,

հավապամ նրա իմաստպությանը
և քաղաքակիրթ բիրտ ստությանը
իմ ճանապարհի:

Այս ակնթարթի խաբկանքի դիմաց
իմաստուններ են լալկվել բանիմաց
և հավեպ լռել.-
մեր արարիչը երկփեղկել է մեզ,
կյանքն այդ կեսերը դարձրել հազար կես
և այդպես կռել:

Դնեմ իմ սիրտը այդ թռչնակի մեջ
և մաքրեմ նրան խաբկանքներից խեղճ,
որ ցավս անցնի.–
գուցե թռչունն այդ իր թևերի տակ,
փետուրների մեջ գուրգուրոտ ու տաք
ինձ վերածընի:

ԵՐԿԻՐ

Այս գիշեր ես լուռ պառկել եմ հողին
Եվ ունկնդրում եմ բաբախյունը քո հարաբախ սրտի:
Այն, ինչ լսում եմ՝ նման է սրտի,
Բայց հավանական մի սուտ, որի մեջ
Անգամ իմ սրտի հարվածները կան:

To believe in its wisdom
And the spoilt, harsh untruthfulness
Of my own path.

Before the deception of this moment
Many a wise man has been muted,
Silenced forever –
Our Creator has bisected us,
Life has cut those halves into thousands
And sealed them forever...

To place my heart in that bird,
Cleanse it from poor deceptions
And relive my pain –
Perhaps under that bird's wings
In its warm, loving feathers
I shall be born again.

EARTH

I am lying in silence tonight,
Listening to the rhythm of your ever-beating heart.
That which I hear seems to be a lie
But a likely lie in which
I even hear my own heartbeat.

¶

Արդեն հիշելն իսկ դժվար է
Ձեր Պեգասին, հույնե՛ր,
Քանզի նա այսօրվա մեր թռիչքը չուներ,
Մեր սլացքը չուներ,
Լոկ իր սլացքի մեջ մեր հիացմունքն ուներ:
Բայց և...
Անհնար է մոռանալը
Ձեր Պեգասին, հույնե՛ր:

¶

Սպվերներ է քշում քամին դեպի քաղաք.
Հետո ինքն իրենով գլորվելով գալիս,
Բերում է մի ծուղրուղու,
Որ կանչել է գյուղում մի աքաղաղ,
Բերում ու փշրում է ականջիս պակ
Որպես խազված, խզված
Ու հին ձայնապնակ:

¶

It is impossible even to remember
Your Pegasus, Greeks.
For he lacked our flight
And he lacked our speed
With only our admiration in his flight.
Yet…
It is impossible ever to forget
Your Pegasus, Greeks.

¶

The wind pushes shadows towards the town
Then it rolls itself along
Bringing a cock-a-doodle-doo
Cried by a cock in the village
And breaks it by my ear
As a scratched, husky,
Old record.

ՏԽՈՒՐ ԵՐԳ

Պիտի այսպես նստեմ փխուր
իմ չգրած երգերի դեմ,
պիտի այսպես նստեմ փխուր
իմ չբռնած ձեռքերի դեմ:

Պիտի նրանց հոգու համար
վառեմ մոմեր ոսկեղեղին,
պիտի թափեմ ծաղկաթերթեր
նրանց անուշ ու փաք հողին:

Նրանց համար պիտի անծա՛յր
մաքու՛ր, մաքու՛ր երկինք բանամ.–
այնքան պիտի հիշեմ նրանց,
որ Հուշն ապրի, Ես՝ մահանամ:

Հետո անցնեն անթիվ օրեր,
հիշեն այս Հուշն արարողիս,
հետո թավիշ ծաղկաթերթեր
թափեն անուշ ու փաք հողիս:

ՀՐԱՎԵՐ

Ես մաքրեցի իմ փան անկյունները բոլոր,
որոնք լցված էին հին-հին երազների
աճյունների լացով,
(աճյունները չէ՞ որ կարող են լալ փոշի),
և փլվելով մի քիչ

A SAD SONG

I shall sit in sorrow
Before the words I never wrote,
I shall sit in sorrow
Before the hands I never held.

I shall light yellow-gold candles
For the peace of their souls,
I shall scatter flower petals
Over their sweet and warm tombs.

I shall open an endless
Pure sky in their honour –
I shall think of them
Until the memory lives and I die.

And countless days later
I, the creator of this memory, shall be remembered,
Then, velvet flower petals shall be scattered
Upon my sweet and warm tomb.

INVITATION

I cleaned all the corners in my house
Filled with
Tears of the corpses of old dreams
(For corpses do weep dust)
And falling

քաղցրության մեջ հուշի,
մեղմ օծեցի ես ինձ փխրուն մի թախիծով,
մի թախիծով, որից մարմինն անէանում,
և օդի մեջ ցրվող ծվեններ է դառնում...

Եվ այդպես լուռ, խաղաղ,
առանց ճիչ ու լացի,
ես նստեցի այնտեղ, ուր լուսինն է նստում՝
օրվա ճամփորդության կրկնությունից հոգնած.
ես նստեցի եզրին կապույտ իմ կամրջի,
որ չկորչեմ հանկարծ,
չփշրվեմ հանկարծ
մթին անդունդներում կարոտներիս լճի:
Իսկ լճի մեջ այնքան
քարե աստղեր կային,
և քարացած խոսքեր,
քարե բառեր, որոնք
չասված պատմությունն են մեր մարդկային:
Որ չեն խոսում այսօր,
բայց գիտենք, որ ունեն
զգացմունքներ անհուն,
այն, որ անփութորեն թողել են, որ այսպես
քարով շրջանակվի,
և թե կարողանան դուրս գալ գերությունից,
քարը կփրաքվի:

Ես մաքրեցի իմ պաց անկյունները բոլոր,
և օծեցի ես ինձ փխրուն մի թախիծով,
իսկ բառերը իմ մեջ թռչում էին թեթև,
և ինձ լցնում էին սիրո շնկշնկոցով:

Into the sweetness of memories
I oiled myself gently with a fragile sorrow,
A sorrow which makes the body evaporate,
Turn into ribbons spreading in the air.

And thus, calm and silent,
Without a scream or a cry
I sat where the moon sits
When bored from its daily trip.
I sat on the edge of my blue bridge,
Not to be lost
Not to be shattered suddenly
In the dark depths of the lake of my yearnings.
And there were so many
Stone stars in the lake
And stone words,
The untold history of man,
Silent today
But which, we know, have endless feelings
Left so carelessly
Imprisoned in stones
And if they were to be freed from their caves one day,
The stones would explode.

I cleaned all the corners in my house
And oiled myself with a fragile sorrow
But the words were flowing inside me
Filling me with the thrill of love.

Any minute now, someone will come
And will tell me to rise

Հիմա կգա մեկը
և ինձ կասի՝ վե՛ր կաց,
ի՞նչ ես նստել, կասի,
վե՛ր կաց, գնանք ու պես՝
ուր երազներիդ մարգագետնում
թպրտում է խաբված թռչունի պես:
Անմեղության ուր գույն-գույն ծաղիկներից
բույր չի առնում բնավ,
բնավ չի հոտոտում,
գնանք պանենք նրան, գուրգուրելով պանենք
հետո մորթենք նրան
մեր փաք երազների սպորոտում:

Հիմա կգա մեկը...
բայց ոչ ոք չի գալիս...
այլ լուռ հեռանում է ճամփաներով հուշի:
Հետո երազների աճյուններն են լալիս,
շուրջս, սրտիս վրա
լալիս են պաղ փոշի:

ԵՎ ՄԱՐԴԻԿ ԿԱՐԾԵՍ ԱՇԽԱՐՀ ԵՆ ԳԱԼԻՍ

«Ռեքվիեմ», հատված

Տեր ճշմարտություն...
Մարդիկ քո անվամբ իբրև թե հպարտ,
Իբրև թե հզոր և անխոցելի՝

"Move" he will say
"Follow me to see
How the goat writhes
In the meadow of your dreams
As a deceived bird.
The goat of innocence does not smell
The scent of colourful flowers,
It does not sniff.
Come, let's take it with affection
And slaughter it as sacrifice
At the foot of the mountain of our dreams."

Any minute now, someone will come …
But no one comes …
Instead, she retreats in silence along the path of memories
Then the remains of the dreams weep,
They weep cool dust
Around me, upon my heart.

AND MEN ARE BORN, IT SEEMS

from 'Requiem'

Lord Truth…
People, as if proud with your name,
As if powerful and invincible,
Walk keeping a distance from each other,

Իրարից քիչ-քիչ հեռու են քայլում,
Դեմք են շուռ տալիս.
Կույր երազների անմտության մեջ
Հարթ ճակատները բախում են իրար,
Ընկրկում են ետ
Եվ ընկնում են միշտ
Թիկունքում պահված սրերի վրա:
Եվ մարդիկ կարծես աշխարհ են գալիս
Որպես մարդասպան
Կամ որպես նրանց հետապնդողներ:
«Ու թեև մենք էլ անասունների հոտերի նման
կապված ենք մահին».
Մի՞թե ավելի չէ երկարակյաց
Մեր սպեղծածը,-
Բայց ոչ մշտական,
Հավիտենական:
Եվ անչափելի ժամանակի ծույլ,
Անտանիք, անդուռ
Եվ անպատուհան տարածության մեջ
Մի՞թե մեր ազնիվ դեմքը չի հոսում՝
Մեր սպեղծածի հյուլեին կպած:
Մի՞թե անօգուտ երազել ենք մենք
Եվ մնացել ենք հավիտյան ունայն՝
Մեր նկրտումի թևերում անզոր,
Մեր կարոտների հիվանդ մորմոքում,
Մեր հոգիների փակ դռների մեջ,
Մեր հույսի խաբված արտացոլանքում...

Մի՞թե անօգուտ երազել ենք մենք
Եվ մնացել ենք հավիտյան ունայն

Looking away.
They bump forehead to forehead
In the mindlessness of blind dreams
Bouncing back,
Always
On the swords held behind them.

And men are born it seems
As murderers
Or as those pursuing them.

"And although we too are tied to death
                              like herds of cattle"
Is it not true
That our creations
Live longer than us?
And in the lazy
Roof-less, door-less,
Window-less space of immeasurable time
Does our noble face not flow
Tied to the nucleus of those creations?

Have we dreamt in vain?
And remained empty forever
In the helpless arms of our efforts
In the ailing pain of our dreams
Behind the closed doors of our souls
In the deceived reflections of our hopes.

Have we dreamt in vain?
And remained empty forever

Խումբ-ընտրյալների անապատի մեջ:
Տեր ճշմարտություն,
Մենք քեզնով լցված փակ անոթ էինք,
Երբ դատարկ էին դեռ մեր աչքերը,
Փոքրիկ աչքերը՝
Անգիտակ ու փակ
Մեծ արևի դեմ:

Եվ ժամանակը
Արևազալի ձեռքերով ոսկե
Բացեց կապտամութ գիշերվա առաջ
Մեր աչքերը փակ.-
Եվ ինչպես հեղեղ՝ զահավիժանքով,
Եվ հորդանալով անաստղ գիշերվա խավարի նման,
Աշխարհը իր չորս ծագերից լցվեց
Մեր աչքերի մեջ.-
Հորդացավ հեղեղ
Դեպի մեր հոգու անսահմանն ամա,
Դեպի մեր սրտի ընդգրկող հեռուն.-
Լցվեց անզգույշ իր գեղեցկությամբ,
Միայն ու միմիայն իր գեղեցկությամբ:

Լուսազարմ էինք և ազատածին.-
Ամենամեծը երկինքն էր դարձյալ,
Ամենաշատը և անմատչելին երկինքն էր նորից,
Ամենաազատն ու անչափելին երկինքն էր դարձյալ.-
Երկինքն էր նորից սերն ամենամեծ:
Կյանքը մեզ համար
Անկապ-անկապանք ստինքն էր մեր մոր՝
Մեր Աստվածամոր
(Մենք աստված էինք),

In the desert of the chosen few.
Lord Truth,
We were sealed vessels filled with you
While our eyes were still empty
Our small eyes
Ignorant and closed
Before the great sun.

And with the golden hands of dawn,
Time
Opened our eyes
Closed before the blue darkness
And pouring down like a flood
And ebbing like the darkness of starless nights,
The world filled
our eyes
From all sides.
The flood poured
Towards the uninhabited boundlessness of our souls,
Towards the enfolding distance of our hearts –
It poured with a careless beauty,
And with beauty alone.

We were born from light and freedom
The sky was still the greatest,
The sky was still abundant and unreachable
The sky was still the ultimate freedom
The sky was still the greatest love.
For us, life was
The free and unrestrained breast of our mother,
Our Madonna

Որ թվում էր, թե մինչև կյանքի վերջ
Պիտի ծծեինք:
Մեզ անծանոթ էր
Մահը
Եվ մահվան անհայրապ ոգին:

Իսկ ուրիշները, որ քայլել էին
Զարդված օրերի գիշերվա միջով,
Եվ իրենց նիհար սրունքների հետ
Քարշ էին տվել ողորկ ճամփաներ,
Որ կախվել էին իրենց սեփական
Կոկորդների մեջ՝
Իրենց ձայների կախաղաններից,
Եվ իրենց լեզուն ոլորել էին պարանի նման,
Կապել սեփական ապամնաշարի փափակ սյուներին.-
Այդ ուրիշները բարձր ձայներով
Ողբեր ողբացին,
Թե՝ հավատացեք, Մահ կա աշխարհում:

Անժպիտ արցունք
Թափեցին թավշե մեր ափերի մեջ՝
Մահ կա աշխարհում:
Մեր ժպիտները
Կախվեցին գունատ մեր շրթունքներից
Կտրված, թոշնած ծաղիկների պես՝
Մահ կա աշխարհում:

Սրեր ցույց տվին,
Տեգեր, նիզակներ,
Ապա ականներ ցույց տվին հատ-հատ,
Արկերի լեռներ,

(We were gods)
And it seemed that we could feed on it
Till the day we died.
Death
Was unknown to us
So was the foul spirit of death.
And others who had walked
Through the nights of shattered days
Dragging smooth roads along
With their thin legs,
Hanging in their own throats
From the gallows of their own voices
And had twisted their tongues like ropes,
Fastened them to the pillars of their teeth –
Those others lamented
In a loud voice
Saying: believe us
Death does exist.

Without a smile
They shed tears over our velvet palms;
Death does exist.
Our smiles froze hanging on our pale lips
Like broken, wilted flowers;
Death does exist.

They uncovered swords,
Pikes, arrows
Then, one by one, they uncovered mines,
Mountains of explosives

Բլուրներ խոսքի
Եվ հայացքների գոսացած կույտեր՝
Մահ կա աշխարհում: -
Ապա հրթիռեր
Ցույց փվին իրենց
Միշտ անգերազանց սլացքների մեջ՝
Մահ կա աշխարհում:
Ու թեև կյանքում բաներ կան, որոնց
Մենք չենք հավատում
Ու չենք հավատա,
Բայց անկապտելի մահվան գոյության
Մենք հավատացինք:

Եվ իրոք, որ կա մի մահ բնական,
Որ զարհուրելի չէ բնավ այնքան,
Որքան ողբերի աղաղակներում,
Հայացքների մեջ,
Սրերի սայրին
Եվ հրթիռների փայլի մեջ զնգուն:

Կա մի մահ, որ լուռ, անսպվերագիր
Պառկում է անդարձ
Ճերմակ մազերի ալքերով հոսող
Դաշտերի վրա,
Պառկում է թափուր երազների հետ,
Թափուր ձեռքերով՝
Անվրդով, ինչպես պաղ ցայգալույսի
Ժայռերը գունատ,
Անպրպունջ, ինչպես հողին շղթայված
Լեռները բոլոր,
Անկապանք, անշարժ,

Hills of speech
And rotting piles of gazes;
Death does exist.
Then they
Uncovered missiles
In their unsurpassed flight;
Death does exist in the world.
And although there are things in life
Which we do not believe
And won't believe,
We did believe
In the inevitable existence of death.

And a natural death does exist
Of course,
Never as fearsome
As the one in the cries of lamentation,
In gazes
On the blades of swords
And in the bright shine of missiles.
A death which lies absolute
Over the meadows in silence,
Without return
It flows in waves of white hair
It lies with empty dreams
With empty hands;
Unperturbed as the pale rocks
Of a cold dawn,
Uncomplaining as all the mountains
Chained to the earth,
The free, firm,

Անխաբ-հողի պես:-
Մարդկության կեսը,
Որ սպանում է այն մյուս կեսին,
Խեղում է մահվան գեղեցկությունը,
Երազն է խեղում՝
Արյունոտելով կարոտի լույսը:

Մեկտեղ սպանված մահվան ու կյանքի
Ջարհուրանքն է, որ
Ջորեղ է բոլոր եղերերգերից,
Ողբերից աղի,
Մեռնող ձանձրույթից,
Օրերից անվեճ.-

Օ, այս բոլորը ակնթարթորեն
Մեռնում են մեկտեղ՝
Մեկտեղ սպանված Մահվան ու Կյանքի
Ջարհուրանքի մեջ:

*

Վախկոտ մտքերը քայլում են փխուր
Մեր երակների
Կարմիր ու կապույտ ճանապարհներով,
Գնում անհասպապ
Եվ սայթաքում են
Ժայռերին հպվող մառախուղի պես:

Մտքերի փափուկ, մեղկ մարմիններում
Կա անգույն մի դող,

Undeceiving earth.
That half of mankind
Which kills the other half,
Mars the beauty of death,
Mars dreams
Staining the brightness of yearnings with blood.

It is the horror
Of the simultaneous murder of life and death,
Which is more powerful than all lamentations,
All salty mourning,
Dying boredom,
Lame days –

Oh, everything perishes
In an instant
From the horror
Of the simultaneous murder of Death and Life.

*

Coward thoughts walk in sadness
In the blue and red paths
Of our veins.
They walk unsteadily
And falteringly,
Like fog rolling over the rocks.

In the soft, sinful bodies of thoughts,
A colourless shiver

Որ սրսփում է երկինք բարձրացող
Մեղավորների սրունքների մեջ.-

Ուր էլ որ գնան.
Կես ճանապարհին կմնան անուժ,
Կնեփվեն ցածում իրենց սպասող
Մերկ սվիններին:

Թե թռիչք է պետք՝
Մենք արմափահան թև ենք ցույց փալիս:

Թե հայացք է պետք ամենաթափանց՝
Մենք շոշափում ենք փակ ակնագնդեր:

Ու թե երգ է պետք՝
Մենք ցույց ենք փալիս
Մեր կոկորդների գեղեցկությունը,
Որոնք պրպմորեն լուռ են ու համր,
Ոչ մի լիարյուն երգ չեն խոսփանում.-

Թե հաղթել է պետք՝
Մեր պարփությունը
Անապարանքով պարզում ենք առաջ
Եվ հոգնածորեն... հանգսփանում:

Trembles through the limbs
Of the guilty ascending to the sky.

Whatever their path,
They will be exhausted midway,
They will fall onto the
Bare bayonets awaiting them below.

When flight is required
We uncover cut-off wings.

When an ever-penetrating sight,
We touch closed eyeballs.

And when songs are required
We uncover
The beauty of our throats,
Dreadfully silent and mute,
Promising no songs.

When victory is required
In haste we put forward
Our defeat
And exhausted...we rest.

ՃՉՄԵՅԵՔ ԹԱԽԻԾԸ

«Ռեքվիեմ», հապված

Մենք լռության քայլին համապրոփ,
Ճոճվում ենք երկաթե ու մերկ մեր ուսերով
Երկար սեղանների դատարկության վրա:

Քայլեցեք, երազներ, քայլեցեք՝
Մեր հույսի պարանով շղթայված,
Կրակներ հավաքող ձեր ձեռքով
Դե շոյեք փայլը մեր ճակատի.-
Մոռացված թռչունների երգերով
Հանգցրեք մորմոքը կարոտող աչքերի.-
Քարանձավների պաղ լռության մեջ
Ապրող աչքերի.
Լեռնալանջերին ծաղիկների հետ
Անհուն ծփացող անծիր աչքերի.
Գագաթներից վեր թռչող թևավոր
Թռիչք-աչքերի.
Աչքերի, որ սուրբ աղոթքով հղի
Ծունկ էին չոքում
Մեր հին, հեթանոս աստվածների դեմ.
Եվ աչքերի, որ փոշիների մեջ
Հավիտյան փակված ու փակ մնացին՝
Անտեղյակ կյանքի խուլ անցուդարձին.
Մնացին պարպամ,
Աներազ,
Անտուն,
Մնացին դատարկ,
Մի անարձագանք, խուլ դատարկությամբ:
Քայլեցեք, երազներ,
Դե քայլեք ամպերի ուռուցիկ հետքերով,
Պապերի կապկպաճիչ, անշրթունք դեմքերով,

SQUEEZE THE SORROW

from 'Requiem'

In harmony with the steps of silence
We swing with our bare, iron shoulders
Over the emptiness of long tables.

Walk on dreams, walk on,
Tied with the rope of our dreams
Caress the glow on our foreheads
With your flame-collecting hands –
Extinguish the anguish of longing eyes
With the songs of forsaken birds –
Of eyes living
In the cold silence of caves,
Of boundless eyes forever undulating
With the flowers at the foot of mountains,
Of winged eyes flying above the mountain peaks,
Of eyes which knelt
In holy prayer
Before our old, pagan gods
And of eyes which remained forever closed
In the dust,
Ignorant of the dull happenings of life
They remained wavering,
Dreamless,
Homeless,
They remained empty,
With a dull non-resounding emptiness.
Walk on dreams, walk on,
Over the puffed-up footsteps of the clouds,
Over the screaming, lipless faces of the walls

Մեր կորած, անձանոթ թևավորների
Մոռացված երգերով:

Քայլեցեք, երազներ, քայլեցեք
Դատարկ սեղանների երկարության վրա.
Ձեր բոբիկ ոտքերի տակ ճզմեցեք թախիծը՝
Որպես սև մի նարինջ.
Եվ ձեր ձեռքերի սկուտեղներով
Բերեք մեզ նրա
Արցունքը՝ վաղվա ծնունդով հղի,
Բերեք մեզ նրա համբույրը աղի,
Բերեք մեզ թախծի ձևն արքայական,
Որ նման է միշտ
Մի քիչ սիրո և մի քիչ դագաղի:

Եվ երազների մաշված ոտքերը մերկ
Լացեցին մեր դատարկ ձեռքերի խաչերի վրա:
Եվ մենք դեպի հողը կախված մեր ձեռքերը
Բարձրացրինք վերև, դեպի երկինք՝
Մեր մեծ կորուստների հիշատակի համար:

Իսկ մեր ոտքերի տակ պտտվում էր
Թաղված, խամրած հիշատակների
Տափակ մի երկրագունդ.
Եվ մեր աչքերում պտտվում էին
Պայծառ հիշատակների զույգ երկրագնդեր.-
Հիշատակների աշխարհ էր շուրջը
Եվ ոգիների թագավորություն,
Ուր որ զայրույթը դառնում է սպրուկ
Եվ արձանանում դռների առջև.

Over our forgotten songs,
Forsaken, strange, winged.

Walk on dreams, walk on
Over the length of bare tables,
Squeeze the sorrow under your bare feet
As a black orange
And on the tray of your hands
Bring us its
Tears, pregnant with tomorrow's birth,
Bring us its salty kiss,
Bring us the majestic shape of sorrow
Which resembles both love and coffins.

And the worn-out bare feet of the dreams
Wept over the crosses of our bare hands
And we raised our hands,
Hanging towards the earth,
To heaven
In memory of our great loss.

And under our feet there revolved
A flat globe
Of buried, dead memories
And in our eyes there revolved
Two globes of bright memories –
There was a world of memories all around
And a kingdom of spirits
Where anger becomes a slave
And freezes by the doors;

Պապանձված լեզվով
Ոչ հրաման է արձակում ի զեն,
Ոչ հրաման է ընդունում խուլի իր ականջներում:
Հույսը դառնում է Մայր փաճարներից
Վռնդված գունատ սաղմոսագրքեր,
Որ զրկված է, ավաղ, իր կենարար շնչից,
Եվ փակ շուրթերի մեջ երգն է խեղված:

Հիշապակների աշխարհը
Շղթայում է թևավորվող ոգին:

Վերածնվող հույսի ու հավատի,
Վերածնվող սրտի, երգի համար
Հարկավոր է մոռացության ծնունդը փաժանելի,
Եվ մեռնելու համար
Հարկավոր է անխաբ մոռացությունն էլի:
Եվ մենք՝
Այդ հիշապակների երկրով շրջապատված
Եվ անկարող՝ թողնել մոռացության,
Մենք՝ լռության քայլին համապրոփ,
Ճոճվում ենք երկաթե ու մերկ մեր ուսերով
Դատարկ սեղանների երկարության վրա:

Եվ փայլի մեջ ողորկ մեր ուսերի
Անցած երազների
Համապարած ուժն է վերընձյուղել:-
Մեր աչքերը փակ են,
Սակայն՝
Լապտերների նման,
Ուր կարող է ազատորեն մտնել լույսը,
Ազատորեն ելնել՝ հիացմունքով հղի.-

With a muted tongue
It neither commands to arm
Nor receives commands in its deaf ears.
Hope turns into books of prayer
Rejected from the Altar
Which, alas, is stripped of its life enhancing breath
And the song is stifled on stiff lips.

The world of memories
Chains down the flight of the spirit.

Hope and faith,
Heart and songs will be reborn
Only after the painful birth of Forgetting
And death too will come
Only after one truly Forgets.
And,
Surrounded by the land of those memories
And unable to leave them to be forgotten,
We swing with our bare iron shoulders
Along the emptiness of long tables
Keeping our rhythm with the steps of silence.
And in the glow of our smooth shoulders
The eternal absolute power of past dreams
Has sprouted again –
Our eyes are closed
But
Only as lamps,
Into which light can enter freely
And glow freely, filled with admiration

Լույսը, որով կարող ենք մենք
Խավարի չորացած շուրթերը ցնցուղել,
Խավարի ճաքճքած արյունը ցողցողել,
Որ լերդացած չիջնի մեր խոհերի վրա:

Մենք մեր մի-մի ձեռքում
Գերբնական ուժով
Դեռ պահում ենք կծկած
Լռությունը ծանր,
Որ թե խփենք հանկարծ
Մյուս ձեռքում սեղմած կարոտներին,
Մի միփական դղիրդ կբարձրանա՝
Այնքան ահագնացող,
Որ ահաբեկ,
Խենոփ,
Խելագարված,
Ամենահեռու քարանձավից
Դուրս կարձակվեն
Նախնադարից քնած բնակիչներն անգամ:
Ավերելով պարիսպների հապորները հասփ-հասփ,
Անփուն, մենաբաղձիկ ու անոթի,
Երկրագնդի վրա խոլ կշրջեն
Մրրիկները փենդի ու կարոփի:

Light, which we can
Sprinkle over the cracked lips of darkness
And water the cracked blood of darkness
To keep it from falling over our thoughts in clots.

With a divine power,
In one hand
We still hold the shrivelled
Heavy silence
From which, if we suddenly hit
The yearnings squeezed in the other,
A mythical roar will arise,
A roar so fearful,
The inhabitants of even the farthest caves,
Sleeping since primaeval times,
Will be unchained
In terror.

Having lost their mind,
Crushing volumes of pillars one by one
Homeless, alone and hungry
The tempests of fever and yearning
Will roam the earth.

ՄՈԼՈՐՅԱԼ ԱՉՔ

«Ռեքվիեմ», հատված

Քաղաքները՝ թափուր,
Արձանները՝ դալուկ,
Երազները դարձան քարե քառակուսի պատվանդաններ:

Զգված մեռածների,
Ծալված ապրողների
Ճշմարտության համար բացված շրթունքներին
Սառած ու թափանցիկ թերթիկներով
Մի ծաղիկ է ծաղկում՝
Ամլացած օրերի
Դիակների վրա փռված:

Այդ ծաղիկը հիմա
Դարձյալ դնում ենք մենք մեր արյան մեջ,
Արմատները մինչև մեր սրտերն ենք տանում,
Քանզի հավատում ենք, թե հող ենք մենք՝
Անապական,
            Անգարշ,
Ծույլ-ծույլ երազների
Հատ-հատ շրթունքներով
Դեռ չլկված:
Հող ենք,
Հողի մեջ ենք,
Հողի վրա,
Հողով կերակրված.-
Հող ենք – հող կդառնանք:
Մեր արյունը հող է՝ արևի մեջ հալված:

A CONFUSED EYE

from 'Requiem'

The cities, empty
The statues, pale
Dreams turn into square pedestals of stone.

On the lips of the dead
And of the bowing living,
Opened for the truth
There blossoms a flower
With frozen translucent petals
Stretched over the bodies
Of barren days.

Now we place that flower
In our blood again,
We take its roots to our hearts
Because we believe that we are of earth
Unspoiled,
      Immaculate
Not yet silenced
By the thick lips of lazy dreams.
We are of earth
We are in the earth
On the earth
Fed with the earth –
We are of earth – we return to earth.
Our blood is earth melted in sunlight.

Քարե մի բռունցքով
Մեր ժպիտը ջարդվեց մեր դեմքերի վրա,
Եվ ահավոր վերքից
Մեր աչքերի պեղակ սպիներ են հիմա.
Մեր շուրթերը փայլուն սպիներ են երկու,
Երկու մարմարիոնե սառը դամբանաքար՝
Միավորիկ մարմնի հողե-
Համայն ճշմարտության
Դամբարանին դրված:

Սակայն հող ենք,
Հող ենք,
Դարձյալ մենք ենք հողն այն,
Որի վրա անդուռ աշպարակի նման
Պիտի ելնի մեր հին ժողովրդի ծառը՝
Ասպվածների դեմքին
Մեր պապկերի ուժը ցնծացնելու
Եվ մեր ճշմարպության ծվենները լկված
Արևի մեջ թրծած հույս դարձնելու:

*

Ոգու միայնությամբ
Դեղին փայլով փխուր մի արհամարհանք
Աշնան մշուշների անհանգրվան, անճիչ ճանապարհով
Լուռ ձգվում է դեպի
Ջարդված երազների
Ջարդված գագաթները ապակեփայլ:

Our smiles were shattered on our faces
With a stone fist
And from that terrible wound
We carry scars instead of our eyes now,
Our lips are two glowing scars
Two cold, carved marble tombstones
On the lone body of the earth
Placed on the tomb
Of heavenly truth.

But we are of earth,
We are of earth
We still are that earth
On which the tree of our ancient nation must stand
Like a doorless tower
To place the power of our image
On the faces of the gods with joy
And turn the shreds of our muted truth
Into hope baked in the sun.

*

A sad disdain with a yellow glow
From the solitude of the soul
Is stretching in silence towards
The shattered gleaming glass peaks
Of shattered dreams
Through the inhospitable, silent path of autumn mists.

Հորիզոնի վրա մեխված կակաչների
Սևն է փայլում
Մնաչք արևգակի նման,
Որի շուրջը թերթ-թերթ կարմիր լույս է վառվում
Կարմիր հեգնանքի պես:–

- Մոլորյալ աչք, փոշոտ, չվերծանված...

Կարմիր թարթիչներից անքուն հոգնածությամբ
Հառաչանքդ ես փնտրում քարերի մեջ
Ու գտնում ես լույսի անթաղ դիակների
Այգեստաններ,
Ու գտնում ես ամեն քարի փակին պահված
Անդունդի ճիչ:

Վեր կաց,
Վեր կաց,
Վեր կաց,
Մոլորյալ աչք՝ դրված ժամանակի ճերմակ ափի վրա:
Դու մեր բախտի բոլոր
Անդունդները հիմա հավաքել ես քո մեջ,
Հոգնած, փոշեկոլոլ
Գլորվում ես վերև
Մեր անհապակ ու շոգ օրերի ճանապարհով:
Մեր ցնծության բոլոր անտառները թողած հեռվում,
Կաղնիների լույսը դարձրած փոշի,
Մեր կարոտի բոլոր օվկիանները մխած,
Դարձյալ հավատալով ինչ-որ գերբնական ուժի,
Դու թռչում ես հոգու
Անբռնելի, անգույն հորիզոնի վրա:

The blackness of the tulips
Nailed on the horizon shines
Like a dark-eyed sun
Around which strings of red light flame
Like a red insult.

– A confused eye, dusty, unread…

With the sleepless tiredness of your red eyelashes
You seek your sighs in the rocks
And there you find gardens
Of unburied bodies of light
And you find
The scream of an abyss hidden under each rock.
Wake up
Wake up
Wake up
A confused eye placed on the white palm of time.
You have now gathered all the gorges of our fate within you,
You roll upwards
Through the path of our bottomless, hot days,
Tired, covered in dust.
Having left all the forests of our joy far behind,
Having turned the light of the oak trees into dust,
Having consumed all the oceans of our yearnings,
Still believing in some divine power,
You fly
Over the unreachable, colourless horizon of the soul.
The power of your outstretched wings
Has become the sprouting earth under the rocks.
Your mighty soul shakes those rocks
Unable to move them.

Բաց թևերից ուժը
Քարերի փակ ծլող հող է դարձել:
Քո սասանող ոգին ցնցում է քարերն այդ
Ու չի պեղաշարժում:

Տրպմությունից խուլ-խուլ ճարճապում է ոգիդ,
Ու չի կոչում մահվան:
Աղոթքներում հոգնած քո շուրթերը
Կրկընում են միմյանց:

Լսում-լուռ ես մնում:

Արթնանում ես քնից,
Ու բաց աչքդ դժգույն քո կոպի փակ
Մնում է փակ:
Մռայլվում ես ու չես կնճռոտվում,
Որ աղաղակ լսվի մկաններիդ միջից.

Ժպտում-
        բարբառում ես խոսքի կաղապարներ
Երջանկության, սիրո ու հավատքի մասին:
Ժպտում-
        Բարբառում ես վրիժառու պենդը
Առևանգված բախտի
Ու չես կոչում դարձյալ սրբազնագույն մահվան:

Եվ օրեր ես հաշվում՝
        «Կորած», «Անդառնալի»,
Եվ եղեռնի օրեր՝ անապատի
        ավազների վրա լլկված,
Եվ գրգանքի օրեր՝

Your soul crackles softly with sorrow
And it does not call upon death.
Your lips, tired in prayers,
Repeat each other.
You hear them – you remain silent.

You wake up from your sleep
And your open eyes
Remain closed under your pale eyelids.
They darken but do not respond
To the cry from the depths of your soul.

You smile –
      You utter casts of words
About happiness, about love and faith.
You smile –
      You utter the vengeful fever
Of an abused fate
And you still don't call upon most holy death.

And you count the days;
      "lost", "irretrievable"
And days of genocide
Silenced over the sands of the desert,

Չեկ ժայռերի կապույտ սպվերներում,
Սառույցների վրա անմահացած դալուկ,
դժգույն օրեր,
Դեղին ճամփաների անքուն երկարությամբ
Փռված փոշեկոլոլ ու փափակած օրեր,
Ոտքերիդ պակ մեռած,
Ուսերիցդ կախվող,
Կոկորդիդ մեջ խզված
ու լռության օրեր...
...Եվ հաշվում ես Հույսի անհաշվելի օրեր...

Կողկողագին ողբի
Ծվեն-ծվեն միգով
Պղտորվում է անփայլ հորիզոնը
քո հին առասպելի:
Ու ծնվում է ժայռը
Հալված աճյուններից քո բյուրավոր մարմնի:
Փողփողացող փոշին ոչ երկինք է ելնում,
Ոչ իջնում է գետին,
Փշաքաղված ծառերն, ահից սարսռալով,
Թարթիչներիդ վրա ցող են կաթում,
Եվ դու բռնկվում ես պտտահողմի բոցով:

Բարձրանում է ժայռը աճյուններից,
Աշտարակի նման քեզ փանում է երկինք`
Ասպվածների դեմքին
Մեր պապկերի ուժը ցնծացնելու:

*

And days of love and affection
          In the blue shadows of red rocks.
Pale colourless days immortalized on ice,
Flattened and dusty days
Stretching over the sleepless length of yellow roads,
Days of silence
Course in your throat,
Dead under your feet,
Hanging from your shoulders…
… And you count uncountable days of hope…

The dull horizons of your old legend
Become blurred
With the shredded mist
          Of the moans of lament
And a rock is born
From the melted remains of your one million bodies
The sparkling dust neither rises to the sky
Nor settles down,
The trees quivering from fear
Sprinkle drops of dew upon your eyelashes
And you blaze with the flames of a whirlwind.

The rock rises from the remains,
Like a tower it takes you to the sky
To place the power of our image
On the faces of the gods with joy.

*

Մոլորյալ աչք-փոշոփ, չվերծանված…

Դու մեր բախտի բոլոր անդունդները հիմա
Հավաքել ես քո մեջ.
Մեր փրփմության բոլոր քարավանները
Մեր ծուռ բախտի բոլոր ճամփաներով
Քո հատակն են իջել,
Եվ քո խորքից հիմա,
Ինչպես խփված վագրի որովայնից,
Ես լսում եմ մի խուլ ոգեմռունչ,
Ու գիշերն է փլվում անձայն աղաղակով մեր թևերին:
Մենք քո հառաչանքը, որպես դամբանաքար,
Դնելու ենք հիմա քո անցյալի վրա,
Եվ գիշերվա մութը
Կտրտելով շերտ-շերտ նարնջի պես,
Խնջույք պիտի սարքենք՝
Ծիծաղելով արևի շեփորներով:
Մեր հեթանոս ոգու անսանձությամբ
Պիտի երգենք նորից խրախճանքը աղի,
Եվ մեր քրքիջների կորիզները խոնավ
Պիտի ընկնեն դարձյալ հողե մարմիններին,
Որ բարձրանան կրկին անտառները
ԼՈՒՅՍԻ ՈՒ ԾԻԾԱՂԻ:

Պիտի երգենք հիմա,
Եվ գլխից վեր բռնած մեր ձեռքերին
Բարձր կպանենք մենք մեր գլուխը հոգնած,
Եվ մեր սիրտը լցրած գավաթի մեջ.
Կբուրվառենք փենչերն ամենօրյա սիրո և հաղթության:

A confused eye, dusty, unread…

You have gathered all the gorges
Of our fate inside you now.
All the caravans of our sorrow
Have reached your depths
Through all the paths of our twisted fate
And from your depths,
As if from the guts of a shot tiger,
I can hear a muted groan.
And the night collapses on our arms with a silent scream.
We shall now put your groan
Over our past as a tombstone
And slicing the darkness of the night
Segment by segment like an orange
We shall party
Laughing with the trumpets of the sun.
We shall sing the salty merriment again,
With the recklessness of a pagan spirit
And the seeds of our nervous laughter
Shall fall over bodies of earth
To rise again as forests of
        LIGHT AND LAUGHTER

We shall sing now,
We shall carry along our tired heads
Holding the song in our hands above our heads
And having poured our hearts into a bowl
We shall burn as incense the longings of everyday love and victory.

Չէ՞ որ անպառներ կան
Անպառներից փախած ձայների մեջ,
Թռչուններ կան իրենց սպվերներում,
Երազները խլված ձեռքերի մեջ
Երազներ կան էլի,
Ջրվեժներ կան իրենց շառաչի մեջ...
Եվ քո հառաչանքում-Մոլորյալ աչք-
Մենք կանք,
Քո անցյալի վրա այդ մենք պիտի դրվենք
Որպես հիշողության փափուկ մամուռներից
Ծնված մի շիրմաքար:

ՈՏԻՑ ԳԼՈՒԽ

Ասք ինքնամոռացության

1.

Կիսամշուշը դարձավ կիսամութ,
Եվ մայրամուտի արդեն հագեցած, հին գույների մեջ
Վառվել-մարելով,
Սեղմվեց աշունքվա խամրած պապերին:
Մենակ եմ արդեն:
Ու պառկել եմ ես իմ մահճակալին՝
Այլևս հոգնած խոր խաղաղությամբ,
հանգստով, սիրով,
Այլևս հոգնած երազանքների ներշնչմամբ բարի,
Եվ իմ անսահման կենդանության մեջ

For there are forests
In the sounds escaped from the forests,
There are birds in their shadows,
There are dreams
In the hands robbed of dreams,
There are waterfalls in their screams...
And in your sighs – a confused eye –
                                 There is us,
It is us who shall be placed over your past
As a tombstone, born
From the soft moss of memories.

HEAD TO TOES

Excerpts

1.

The haze turned into twilight
And brightening and dimming
In the old, saturated colours of the sunset
It was pressed against the grim autumn walls.
I am now alone.
Lying in my bed with a deep tired peace,
                          Ease, love,
With the inspirations of tired dreams.
And I seem to die
In my endless life
With the nightmare

Մեռնում եմ ասես
Մղձավանջային,
Այս կոշմարային
Խորությամբ, հևքով, լայնքով այս դարի:

Եվ իմ լռության արձագանքն իմ մեջ
Հնչում է հրաշք-մաքուր զրնգոցով՝
Որպես գոյություն,
Եվ տեսանելի, և շոշափելի իրականություն՝
Անսկիզբ, անվերջ,-
Այնպես է հնչում,
Ինչպես հնչել է հայ նախամարդու անխոսք,
Բայց արդեն իմաստուն ձայնը քարանձավի մեջ:

Քարանձավ եմ ես,
Եվ իմ սեփական արձագանքն եմ ես
Քարանձավի մեջ:
Դարեր շարունակ ապրել եմ որպես վանք, եկեղեցի,
Դարեր շարունակ իմ սառնության մեջ այրվել եմ
որպես վանք, եկեղեցի
Եվ շափ-շափերի դեռ սապապավոր ուղեղների մեջ
Ես նույնանում եմ ամեն ինչի հետ,
Ինձանից բացի:

Ես քարանձավ եմ
Եվ իմ սեփական արձագանքն եմ ես
Քարանձավի մեջ:

*

Of the depth, rush and broadness of the age.
And the echo of my silence
Resounds with a miraculous pure chime within me
As some existence
And visible and tangible truth;
Without a start, without an end –
It echoes
As the wordless
But wise voice of the primaeval
Armenian in the cave.

I am a cave
And my own echo
In the cave,
Have lived for ages as a monastery, a church,
Burning in my own chill for ages as a monastery, a church
And in the defected minds of so many
I am one with everything
Except for myself.

I am a cave
And my own echo
In the cave.

*

Իմ մոնումենտալ ուրվապատկերը քայլում է առաջ,
Ճոճվում է բարձր ճոճաձողի պես...
Այդ ես եմ գնում:
Եվ տիեզերքում պտտվում եմ ես,
Որպես սլաքը անցա՛ծ, գնացա՛ծ, գնացո՛ղ, եկո՛ղ
Եվ ճանաչված ու անճանաչելի
Ժամանակների:-
Այդ ես եմ գնում՝
Տրորված ձայնիս արձագանքները
Բերելու ի մի:
Ձայնս էլ չկա:
Ես արձագանքով կարո՛ղ եմ գտնել,
Թե այդ որտե՛ղ էր, որ ձայն ունեի,
Եվ զույգ ոտքիս տակ
Զույգ լեռներ կային:

Եվ քայլում եմ ես:
Ինձ հետ քայլում են իմ մոռացումը,
Իմ փխրությունը,
Վիշտս,
Կարոտս,
Եվ ստիպում են, որ քայլե՛մ, քայլե՛մ...

Աշունը կնոջ մեղկ թուլությունով
Իմ ճամփին դեղին արցունք է թափում
Ու դեղին հրաշք,-
Եվ քայլում եմ ես՝
Տիեզերքի մեջ ճոճվելով բարձր ճոճաձողի պես:
Աշխարհի գլխին թափահարելով,
Քայլում եմ ուղիղ աշխարհի վրա

My monumental silhouette walks on
Swinging like a vaulting pole...
It is I who walks.
I circle in heaven
As the hand of times
Bygone, going, yet to come,
Known and unrecognizable.
It is I who walks
To bring together
The echoes of my crushed voice.
My voice is no more.
Can I find with the echo
That place where I had a voice
And two mountains under my two feet?

And I walk on
And with me walk my exhausted memory
My sorrow
My agony
My yearnings
Forcing me to walk, walk...

The autumn sheds yellow tears on my path
With the poor weakness of a woman
And a yellow miracle
And I walk on
Swinging in heaven as a vaulting pole.
I walk straight over the world,
Shaking myself up above

Եվ մտնում եմ ներս աշխարհի արդեն ավերված սեմից,
Մտնում եմ, որպես աշխարհի մի նոր թափահարություն,
Եվ որպես դող եմ մտնում ես մարդկանց մարմինների մեջ:

2.

Դեռ պառկած եմ ես
Չորս պատերի մեջ,
Իմ ցածրի՜կ, ցածրի՜կ, հին մահճակալին:
Ծանր պատերը տեղի են տալիս
մի աներևույթ զորության առաջ,
Զորություն, որ իմ հոգնած աչքերն են,
Նեղված իմ սիրտն է,
Անկենդան պահն է մարմնիս ու հոգուս:
Հետո ցնդում են պատերն անզգույշ մի թեթևությամբ:
Նա իմ հոգնության ծանրությունն ունի:
Տեղի է տալիս աշխարհն իմ առջև:
Եվ փարածվում է մի փարածություն,
Որտեղ ձգվում է իմ դոն-կիխոտյան երկարությունը,
Ձգվում է նորից,
Ինչպես հենց ինքը՝ ձգողությունը,
Ինչպես ինձանից մինչև կապկամարդ և էլի առաջ
Ձգվում է մարդու հիշողությունը:
Ձգվում եմ, ինչպես խորընթաց գետը
Եվ սահում եմ առաջ, ինչպես հանդիսավոր
Հուղարկավորություն:
Եվ հեռանում են ոտքերս ինձնից,
Եվ հեռանում են ձեռքերս ինձնից,-
Բազմացող ձեռքեր,
Բազմացող ոտքեր,

And I enter through the ruined threshold of the world
I enter as a new uprising of the world
And I enter people's bodies as a shiver.

2.

I am still lying
Within four walls
On my low, low, old bed.
The heavy walls give way
Before an invisible power
A power, which is my tired eyes,
My heavy heart
That lifeless moment of my body and my soul.
Then the walls disappear with a careless weightlessness.
It has the weight of my weariness.
The world gives way before me
And a space spreads out
In which my Don Quixotic length
Stretches again
As gravity itself,
As the stretching of man's memory
From me to the ape-man and further still.
I stretch on as a deep river
And I roll along as a solemn
Funeral.
And my legs leave me,
And my hands leave me,
Multiplying hands,
Multiplying legs,

Որոնք թռչում են խենթ արագությամբ,
Գնում են անվերջ,
Եվ թաց աչքերս հսկում են վերից
Այդ հաղթարշավը փարածության մեջ:
Ես բաժանվում եմ մարմնով նյութեղեն,
Ես նմանվում եմ ինքս ինձ արդեն,
Ես նմանվում եմ իսկական հայի:

*

Սահում են առաջ, ոտքերս գնում,
Սահում են կողքի, ձեռքերս գնում
Եվ փարածվում են
Հարաբերական արագության մեջ,
Եվ արագության գաղափարն արդեն
Թվում է նույնիսկ սոսկ ծիծաղելի:

Իմ ձեռքերի մեջ է երկրագունդը,
Իմ ոտքերի փակ է,
Եվ աչքերիս մեջ խճճվում է դեռ
Բյուր փողոցների ցանցը համապարփակ՝
Ինչպես ծանր վանդակ
Ու գեղեցիկ վանդակ՝
Կապաղորեն մեխված
Այս հին երկրագնդի այս ծեր մարմնի վրա:
Եվ այսպես փխուր նայում ենք իրար
Ես ու բանփարկյալ երկրագունդը,
Նրա կարծիքով ես եմ բանտում,
Իմ կարծիքով՝ ինքը.-
Ապրում ենք այսպես իրարից բաժան
Եվ իրար կողքի,

Which fly with a mad speed,
They fly forever
And my moist eyes keep watch from above
Over the race in that space.
I fragment with an earthly body
I start to look myself again,
I look like my people.

*

My feet stretch forward, they vanish
My hands stretch sideways, they vanish
And they spread
At an unimaginable speed
And even the thought of speed
Seems laughable now.

The earth is in my hands
It's under my feet
And the entire web of streets
Still blurs my sight
As a heavy cage
And a beautiful cage
Fiercely nailed
To this earth, this ancient body.
And thus we look each other in the eye
Me and the caged Earth.
He thinks I'm the one in the cage
I think it is He –
And we live apart

Նաև իրար մեջ:-
Իմ կարծիքով ես իր շղթաներն եմ քանդում,
Իր կարծիքով իմն է քանդում ինքը:-
Իրար նայում ենք վանդակի միջով,
Ժպտում ենք իրար
Հավապացնելու անհուն ցանկությամբ,
Եվ հավապալու արդեն սովորույթ դարձած մեր ճիգով,
Եվ գուցե նաև սուտ երջանկությամբ,
Եվ գուցե նաև
Մի երջանկության հասնելու շփոթ աճապարանքով:
Մենք իրար հետ ենք,
Մենք իրար կողքի,
Նաև իրար մեջ,
Իրարից բաժան՝ կարճությամբ անծայր,
Երկիր, օ, վատ եմ հասկանում ես քեզ,
Երկիր, և վատ ես հասկանում դու ինձ:

*

Ձեռքերս հանդարտ սահում են առաջ
Հսկումի կանգնած իմ աչքերի հետ.-
Ի՛նչ հայացք է սա.
Մի որոշակի անորոշություն
Իմ բախտի, կյանքի, գոյության մասին:
Մատներս դողով շոշափում են դեռ
Թուրքիայում հանգչող գերեզմանները՝
Ամբողջ մի երկիր —մի գերեզմանոց:
Եվ ուր կպչում են իմ ցուրտ ու գունատ մատները դողով,
Ես ցավ եմ զգում
Եվ ինձ թվում է՝ շոշափում եմ իմ մարմինը հիվանդ:
Ես ամեն ինչում և ամենուրեք

But side by side
And within each other –
I think I break His chains
He thinks He breaks mine –
We look at each other through the cage
We smile at each other
With an endless desire to convince
And with our effort to believe; now a habit
And perhaps even with a fake happiness
And perhaps even with the confused rush of finding happiness,
We are together,
Side by side
And within each other
And apart, with an endless shortness
O Earth, I can't understand you well,
Earth, and you can't understand me well.

*

My hands stretch forward,
My eyes standing guard –
What gaze is this?
A certain confusion
About my fate, my life, existence.
My fingers still touch
The tombs resting in Turkey;
An entire land – a graveyard.
And whatever my cold, pale fingers touch
I feel pain
And it seems to me I am touching my own sick body.

Դեռ կանչում եմ ինձ,
Ես ամեն ինչում և ամենուրեք
Ճանաչում եմ ինձ:

Ճանաչում եմ ինձ
Բոլոր և ցրիվ սրբություններում՝
Նոր ու հնավանդ,
Ամեն տեղ ես կամ
Եվ ամենուրեք շոշափում եմ իմ մարմինը հիվանդ:
Ես իմ արձանն եմ կերտել աշխարհի բոլոր ճամփեքում
Եվ Հայաստանում,
Որ իմ պապկերից չօպարանա իմ հողը հայրենի,
Ես իմ Աստվածն եմ սարքել երկնքում
Եվ դարձրել եմ Մեծ ու Անվանի:
Եվ հազար անգամ թաղվելուց հետո
իմ մեջ հոգի եմ կրկին արարել,-
Ես ի՞նչ չեմ արել,
Կամ ի՞նչ եմ արել:

*

Անթիվ ձեռքերով ես շոշափում եմ
Քո մարմինը, Երկիր,
Շոշափում եմ հոգով,
Շոշափում եմ հոգու անհուն մարփնչումով,
Եվ որոնում եմ այն խարդախագույն գնդակը մահու,
Որ արձակել եմ քո հրաշալի մարմնի մեջ,
Եվ ինչ-որ մի տեղ,
Ինչ-որ մի մասըդ մեռցրել եմ ես:
Օ, իմ ահավոր և ամեն անգամ վերակրկնելի

I still call myself
In everything and everywhere,
I recognize myself
In everything and everywhere.
I recognize myself
In all and scattered things holy
Old or new.
I am everywhere
And it seems to me I am touching my own sick body.
I have carved my statue on all the roads of the world
And in Armenia
To keep my land familiar with my image,
I have created my lord in heaven
And have made him Great and Renowned.
And after a thousand burials I have recreated
                    A spirit within me –
What haven't I done?
Or what have I done?

          *

I touch your body, Earth,
With countless hands,
I touch you with my soul,
With the endless struggle of the soul
Looking for the deadly bullet
Which I shot at your wonderful body one day
And killed a part of you
Somewhere.
O, my fearful and ever-recurring

Մեծ ողբերգություն.
Ես ինչպե՛ս պիտի կենդանացնեմ , հարություն տամ քեզ:
Հիմա տարածվում եմ ես մարմնիդ վրա
Քո շամանդաղի անհուն քնքշությամբ,
Անմերձենալի,
Քո դարավոր կարոտի սպառող ուժով,
Եվ քո կրքի մաքուր ու չսահմանվող հզորությամբ,
Իմ փակ աչքերի հարսպությունով,
Քո գոյապնի,
Հարապնության անշեղ հավատով,
Անթիվ ոտքերով,
Անթիվ ձեռքերով
Փաթաթվում եմ քեզ
Ամուր և ամուր,
Եվ իմ պղնձե շուրթերով ահա
Համբուրում եմ քեզ քո ամեն տեղից`
Ցավեցնելու չափ:
Համուրում եմ քեզ կարոտի տենդով:
Ինձ նման անշեղ հավատացյալի համար
ԴՈՒ,
ԵՐԿԻՐ,
Սրբալույս նշխար,
Ես գրկել եմ քեզ,
Դու գրկիս մեջ ես,
Եվ կրծքիս վրա` սրտիս չափ մի տեղ`
ՀԱՅԱՍՏԱՆ ԱՇԽԱՐՀ:

Great tragedy
How can I ever resurrect you.
Now I spread myself over your body
With the endless tenderness of your morning mist,
Unreachable,
With the overpowering strength of your age-old yearnings,
With the wealth of my closed eyes,
With the unshaken belief
Of your survival,
With countless feet,
With countless hands
I hug you
Tight
And with my copper lips
I kiss you everywhere
So strong, it hurts.
I kiss you with the fever of yearning.
For an unshaken believer like me
You,
Earth,
Holy bread,
I hug you,
You are in my arms,
And on my chest, a place the size of my heart,
ARMENIA.

¶

Իմ ձայնը՝ անմարմին, անգլուխ,
Իմ ձայնը՝ դողդոջուն շրթունքներ.-
Ակունքներից ծնվող մառախուղի նման
Իմ ձայնը փնտրում է քո մանրիկ ականջները:
Եվ մատներս՝ աննյութ ու թափանցիկ,
Եվ մատներս՝ փխուր ճառագայթներ,
Փնտրում են, որ փակեն քո մանրիկ ականջները,
Որ փակեն,
չլսես
Զարհուրանքը ձայնիս,
Մոռանաս կարոտի արևոտ առասպելը:
Եվ այնժամ քո սրտից,
Ինչպես խուլ անձավից,
Կլսես աչքերիս մռունչը անձրևոտ.-
Կդողա մարմինդդ,
Կդողան շուրթերդ,
Եվ շուրթերիդ վրա՝
Ակունքներից ծնվող մառախուղի նման,
Իմ ձայնը կդառնա ցող,
Ու... կդողա:

¶

Բաց, դուռդ բաց արա...
Բնազդն ինձ շուռ փվեց կանաչների վրա.
Ծառի արմատներից
Պաղ խշշոց էր ելնում նրա մարմնով վերև
Եվ թափվում էր փաք-փաք փերևներից:

¶

My voice, without a body, headless,
My voice, quivering lips,
Like the mist born from the water springs
My voice seeks your small ears,
And my fingers, immaterial, transparent,
And my fingers, sad rays of light,
Seek to close your small ears.
Close them,
To keep you from hearing
The horror of my voice
And to forget the sun-kissed myth of yearnings
And then, as if from a deep cave,
You shall hear the rainy howling of my eyes
Through your heart –
Your fingers shall quiver,
Your lips shall quiver
And like the mist born from the springs
My voice shall turn into dew upon your lips.

¶

Open, do open your door...
My instinct rolled me over upon the grass.
A cool rustle rose from the roots
Through the body of the tree
Dripping from its warm, warm leaves.

Բաց, դուռդ բաց արա.-
... Հետո ձմեռ եկավ
Ու ճերմակ խուփ դրեց
Կապույտ խշշոցներով քլթքլթացող
Ծառաշխարհի վրա:

Բաց, դուռդ բաց արա,
Ձեռքերդ դիր վրաս,
Եվ թաղիր ինձ հողում,
Որպես արձագանքով լցված անհուն կարաս:

¶

Ես իմ մանկության հանդերին կանաչ,
Ծառ ու ծաղկունքին խույլ շշնջալով
Ասում էի, թե՝ սեր կբերեմ ձեզ,
Եվ կրծքիս խորքում
Բառերը անուշ զնգզնգում էին
Հեռու՜- հեռավոր ճամփա գնացող
Խոլ նժույգների զանգակների պես

Ես ասում էի՝ սեր կբերեմ ձեզ,
Կբերեմ՝ որքան աշխարհին ունենա.—
Խոտերն անշշուկ խոնարհվում էին,
Եվ ծաղիկները ժպտում էին լուռ,
Եվ ջրերն իրենց փազնապները հին
Անրջանք էին դարձընում մաքուր:

Open, do open your door –
… Then came the winter
Placing a white lid
Over the tree world, abuzz
With a blue rustle.

Open, do open your door,
Place your hands over me
And bury me in the earth
Like a bottomless vessel filled with echoes.

¶

With a soft whisper I said to the flowers and trees,
To the green meadows of my childhood
I would bring love to them
And deep in my heart
My words echoed sweetly
Like the chiming bells on the fine horses travelling afar.

I said to them, "I shall bring you love,
All the love the world has to give" –
The grass bowed in silence
And the flowers smiled without a sound
And the waters turned their old horror
Into pure dreams.

Ես ասում էի՝ սեր կբերեմ ձեզ,
Եվ թիթեռները մեղմ երանությամբ
Համբուրում էին խոտերը դալար,
Եվ թռչունները ոսկե կտուցով
Ջուր էին բերում
Իրենց սիրասուն ձագերի համար:

Հետո անձրևներ եկան դառնաղի.—
Բարձր շենքերի խուլ պատերի տակ
Կծկվեց ցրտից տրտմությունն իմ խեղճ,
-Սերն ի՞նչ էր անում, սերն ու՞ր էր արդյոք.—
Ու լացեց սիրտս հորդաբուխ ու տաք
Իմ պատառոտված կոշիկների մեջ:

Լացեց, ու թեև հեռու հանդերում
Խոտերը վշտից սև չկապեցին,
Բայց նրանց երգը գուցե թե փխրեց,
Թե մարդիկ ահա դարձյալ խաբեցին:

Ես նրանց արդյոք ի՞նչ պիտի ասեմ,
Ի՞նչ պիտի ասի աշխարհին այս թերի,
Երբ ջրերն իրենց անրջանքը սուտ
Վերափոխել են հին տագնապների:

I said to them, "I shall bring you love"
And the butterflies kissed
The fresh grass with joy
And the birds fetched water in their golden beaks
For their beloved offspring.
Then came the bitter, salty rains,
My sorrow shrivelled from the chill
By the cold walls of high-rise flats
– I wondered where Love was, what it did –
And my heart wept warm and abundant tears
Into my torn shoes.

My heart wept, and although in the far away meadows
The grass didn't turn black from sorrow,
Perhaps their songs became sombre
At being deceived yet again, by man.

What can I tell them?
Or the world tell them?
When the waters have turned
Their fake dreams into horrors.

¶

Ապառաժների լռության վրա
Քարայծն սպիտակ առագաստի պես
Լողում է ձորի կապույտ երկնքում:

Իր փոքրիկ, փխուր գլուխը թեքում,
Տխուր աչքերը թափանցիկ, փխուր զանգակների
պես
Կախում անդունդին,
Լուսնյակ պոզերով պոզահարում է դեմքը լուսնյակի,
Եվ մի անմռաց, հավիտենական
խոր ափսոսանքի
Փշրանքներ խամրած
Ընկնում են հապ-հապ
Ջրում թավալվող սարսափի վրա:

Կարոտի լեզուն ճերմակ հպումով
Նրա շուրթերից սրբում է ճաքած փապը կարոտի,
Եվ զանգակները թրթռում են վայրի
Արտացոլանքով փխրաբախ սրտի:

Քարերի կրծքին կակաչներ կարմիր
Անտիկ ծաղկումով այրվում են կրկին,
Եվ նրանց բոցը օրորվում քամուց
Ու խշխշում է ժայռերի ձեռքին:

Եվ մարդու ձայնը մեծանում հանկարծ,
Վայրկյան առ վայրկյան ելնում է հզոր
Բնության անդունդ—-օրորոցներում. -—
Այդ անպարագիծ օրորումի մեջ
Մարդը՝ ինքը այնպես հեշտ է մեծանում:

¶

Upon the silence of the rocks
Like a white sail
The chamois swims in the blue skies of the valley.

Bending its small, desolate head,
Hanging its eyes over the valley
Like transparent, sad bells,
Scratching the face of the moon
With its moon horns
And the faded fragments of an unforgettable
Deep regret
Fall one by one
Over the horror rolling in the valleys.

The tongue of yearnings with a white touch
Cleans its lips from the cracked heat of those yearnings
And the bells shake violently
With the reflections of a heavy heart.

Tulips are burning again with an ancient flourish
Upon the chests of the rocks
And their flames swing with the wind
And crackle in the hands of those rocks

And man's voice grows
Louder by the second
In the gorges, cradles of nature –
Man grows so easily
In that borderless rocking.

Ես հողմահալած առագաստի պես
Կանգնել եմ ծերպի սարսափին շողուն,
Իմ ոտքերի տակ՝ թափուր Անապատ,
Թափուր հուշերի վտառն է լողում:

Ես ու քարայծը սարսափի վրա
Կանգնել ու իրար նայում ենք անվերջ.—
Իմ լուռ կարոտի ձայնն է ղողանջում
Քարայծի փխուր զանգակների մեջ:

¶

Կապույտ ծառերը մատներով կապույտ
Կարոտ են կաթում պաղ շրթունքներին...
Մենք այդ կարոտը կխմենք երկար,
Երկար կթախծենք,
Կլռենք երկար,
Մինչև Տերը մեզ կխփի քարին,
Կջարդի մեր այս պատյանը սիրուն,
Մեզ կդարձնի թեթև ու ներհուն
Ոգի՝ անկորուստ փիեզերքի մեջ.-
Մեզ կպարուրի
Հավիտենության փայլը հուրհրան,
Եվ մենք լուսնի հետ կփայլենք մեկ-մեկ
Խաղաղ լճերի մերկության վրա:

I'm standing upon the horror of the cliff-edge
Like a storm-stricken sail,
An empty monastery under my feet
Where swims the shoal of empty memories.

The chamois and I stand upon the horror
Looking at each other endlessly,
My silent yearnings
Are chiming in the sad bells of the chamois.

¶

The blue trees are sprinkling yearnings
Upon cold lips, with blue fingers...
We shall long drink those yearnings,
We shall long despair
We shall long remain silent
Until the Lord shall knock us onto the rocks
Smashing our beautiful shells
Making us weightless and carefree
Spirits, imperishable in the universe –
The glowing shine of eternity
Shall cover us
And we shall glow with the moon now and then
Upon the bareness of calm waters.

ՃԱՄՓՈՐԴՈՒԹՅՈՒՆ - 4

Հաճախ ինքնամոռաց, անակնկալ,
առանց ճիգ ու ջանքի,
թեթև, սահուն,
ես մտնում եմ ինչ-որ բառերի մեջ
և կորչում եմ ինչ-որ
բառերի մեջ անհուն՝
ինչպես որ աղմուկը փողոցներից,
դանդաղ ներծծվելով շենքերի մեջ,
փաթաթվում է փափուկ վերմակներով
և խլանում:

Ախ, աղմուկը, այո՛,
որ ծնվելով չոր ու բութ բառերից,
վերջը բառերով է հանգստանում:

Շենքերի մեջ, փափուկ վերմակներում...

Ես մտնում եմ այդպես բառերի մեջ
և դառնում եմ միայն շնչառություն.-
ոչ մի ավելորդ բան
կամ ավելորդ շարժում,
ոչ աղմուկ կա,
ոչ խոսք,
ոչ չարություն,
ոչ արարքներ ճարպիկ,
ոչ էլ խեղճ ու կրակ անճարություն...
զարմանալի բան է՝
կա ոչ անխղճություն
և ոչ էլ խիղճ,
չկա ոչ չարություն

JOURNEY – 4

I often enter some word
Selflessly, unexpectedly,
With no effort,
Flowing with ease,
And I disappear
In the word forever
As noise is slowly
Absorbed into the buildings
From the streets
Then wraps itself in the blankets
And fades away.

O yes, the noise
Which being born from coarse, blunt words
Calms down only with words in the end.

In the buildings, under soft blankets…

I enter the word in the same way
Turning into a mere breath
And nothing more,
No movement
No noise
No talk
No evil
No guile
Or a weak destitution.
Strangely, there is
No compassion
And no brutality,
No evil

և ոչ էլ ճիչ.-
կա լոկ անծայրածիր
գոյությունը բառի,
իմ սիրելի, կա քո
գոյությունը բարի,
որ ոչ մի բան,
ոչինչ,
ոչ մի ձևով,
ոչ մի անակնկալ հանկարծությամբ
չի շոշափի, կամ թե՝ չի խանգարի:
Եվ ես՝ ոչ մեղավոր,
ոչ էլ անմեղ,
խլանում եմ քո մեծ
գոյության մեջ անհուն,
ինչպես որ աղմուկը փողոցներից,
դանդաղ ներծծվելով շենքերի մեջ,
փաթաթվում է փաքուկ վերմակներով
և խլանում:

ՏԻՐԱՄԱՅՐ ՄԱՐԻԱՄ

Ով դու սուրբ Մարիամ, մայր Քրիստոսի,
մայր երազների, մայր ձյոդ հույսի,
ակունք բարության, գանձապուն լույսի.-
ամեն առավոտ,

Nor a scream –
But only
The boundlessness
Of the word.
Your kind existence
My love
That nothing,
Nothing,
In any way
With no unexpected impulse
Will touch or disturb
And I, neither guilty
Nor innocent,
Disappear in your
Endless existence
As noise
Is slowly absorbed into the buildings
From the streets
Then wraps itself in the blankets
And fades away.

MARY, MOTHER OF CHRIST

Holy Mary, Mother of Christ
Mother of dreams and of budding light,
Spring of grace, Treasure of light –
Every morning,

առավոտ ծեգին
հեռու երկնքի ամպե դաշտերում,
ամպեղեն շորեր կապած քո մեջքին
և ոսկեբոբիկ, լույսի պես թեթև
դու փնտրում ես քո կորած մանկիկին:
Եվ գտնում ես դու,
ուզում ես իջնել,
բայց երկրի վրա իջել է արդեն
գիշերն ահարկու:

Օրորում ես քո կորած մանկիկին.-
երկրի և երկնի սահմանագծում
հոգնած ննջում ես՝ գանձդ քո ձեռքին:

Զարթնում աստղերի արծաթ շշունջից,
նա դուրս է թռչում քո գրկի միջից,
և խառնըվում է ինքն էլ աստղունքին:

Չէ՞ որ, ով Մարիամ, ով Աստվածամայր,
քո Որդուն մի օր խաչել են մարդիկ,
իր մեծ Հավատի,
մեծ Ճշմարտության,
մեծ Սիրո համար:

Եվ կրկին հաջորդ առավոտ ծեգին
դու փնտրում ես քո կորած մանկիկին,
և երկարում է ճանապարհդ այսպես
Դու և Քո Որդին դեռ չեք հասնում մեզ:

Every dawn,
In the remote cloud fields of Heaven,
Dressed entirely in clouds,
Barefoot and weightless as light
You look for your lost child.
And finding him
You try to reach out,
But fearful dark night
Has descended upon Earth.

You rock your lost child
Between Heaven and Earth
Then holding your Treasure, You lie to rest.
Awakened by the silver whispers of the stars,
He flies away from your arms
To join those sparkling stars.

For, O Mary, mother of Christ,
Man crucified Your Son one day
For His Faith
His Truth
His Love.

And with the next dawn
You seek your child again
And your journey stretches on,
You and Your Child are yet to reach us.

BIOGRAPHICAL NOTES

RAZMIK DAVOYAN was born in 1940 in Mets Parni, Spitak, Armenia. At the age of nine he moved to Leninakan with his family where he graduated from the local Medical College in 1958. In 1959 he moved to Yerevan to study Philology and History at the State Pedagogic University and graduated in 1964. During his student years he worked as proof-reader for the *Literary Weekly* and as a member of the founding editorial board of the monthly *Science and Technology*, editing the Life Sciences and Medical sections. From 1965 to 1970 he was editor of the poetry and prose section of the *Literary Weekly*.

From 1970 to 1975 he worked as senior adviser at the Committee for Cultural Relations with the Diaspora. From 1975 to 1990 he worked as Secretary of the Central Committee for Armenia's State Prizes. In 1989 he was appointed Deputy Chairman of the Parliamentary Commission for the Earthquake Struck Disaster Area. In 1994 he became the first elected president of the Writers' Union of Armenia. From 1999 to 2003 he served as Adviser (on cultural and educational issues) to the President of the Republic of Armenia. From 2004 to date he has been Adviser to the Director of the Armenian Public TV.

His first poem was published in 1957 in the Leninakan daily *Worker*. Since then he has published well over thirty volumes in Armenian as well as in Russian, Czech and English translation. His works were widely translated all over the former Soviet Union and published in innumerable literary magazines and journals. Selections of poems have also been translated and published in literary periodicals in Italy, France, Syria, former Yugoslavia, Iran, China and the USA. His children's poetry book *Winter Snowflake, Spring Blossom*, published in Russian translation in 1980, sold four hundred and fifty thousand copies in only two weeks all over the former Soviet Union.

In 1971, Davoyan received Armenia's Youth Organization Central Committee Prize for Literature and, in 1986, Armenia's State Prize for Literature. In 1997 he received the Order of St. Mesrop Mashtots from the President of Armenia for his achievements and services to the country. In 2003 he was awarded the President's Prize for Literature for his children's book *Little Bird at the Exhibition*. Three of his significant books were blocked from publication by the Soviet régime: *Requiem* was blocked for five years before it was published in Yerevan in 1969; *Massacre of the Crosses* was blocked and was first published in Beirut in 1972; and *Toros Rosslin* was first published in New York in 1984 because of the block on its publication in Soviet Armenia.

Razmik Davoyan lives in Yerevan, Armenia.

ARMINÉ TAMRAZIAN WAS born in Tehran of Armenian parents, and educated in three languages (Armenian, Farsi and English). After receiving her BA degree in English in Tehran, she went on to study Linguistics at University College, London, where she completed her MA and PhD degrees. She has published three volumes of literary translations and has worked as lecturer at Yerevan State University and Yerevan State 'Brusov' University for Linguistic Studies. She has also carried out research as a visiting scholar at the University of Toronto.

Classical music is also an important part of her life. She studied the piano from a very young age and has given many performances as an amateur pianist. Having sung in a children's and youth choir from the age of five, she became a member of the Royal Choral Society during her student years in London, and sang in the choir for four years until she moved to Yerevan, Armenia, where she currently lives with her family.

W. N HERBERT was born in 1961 in Dundee, Scotland and was educated at Brasenose College, Oxford where he published his D.Phil thesis on the Scots poet Hugh MacDiarmid with OUP in 1992. In 2000, he edited the best-selling anthology *Strong Words: Modern Poets on Modern Poetry* with Matthew Hollis. He has published seven volumes of poetry and four pamphlets, and is widely anthologised. His last five collections, all with the northern publisher Bloodaxe Books, have won numerous accolades. His most recent collection from Bloodaxe, *Bad Shaman Blues*, appeared in March 2006 and was a PBS Recommendation. He edited and contributed to the anthology *A Balkan Exchange* (Arc, 2007) and *Three Men on the Metro*, his collaborative collection with Andy Croft and Paul Summers, appeared in 2009.

Also available in the Arc Publications
'VISIBLE POETS' SERIES
(Series Editor: Jean Boase-Beier)

No. 1
MIKLÓS RADNÓTI (Hungary)
Camp Notebook
Translated by Francis Jones
Introduced by George Szirtes

No. 2
BARTOLO CATTAFI (Italy)
Anthracite
Translated by Brian Cole
Introduced by Peter Dale
(Poetry Book Society Recommended Translation)

No. 3
MICHAEL STRUNGE (Denmark)
A Virgin from a Chilly Decade
Translated by Bente Elsworth
Introduced by John Fletcher

No. 4
TADEUSZ RÓZEWICZ (Poland)
recycling
Translated by Barbara Bogoczek (Plebanek) & Tony Howard
Introduced by Adam Czerniawski

No. 5
CLAUDE DE BURINE (France)
Words Have Frozen Over
Translated by Martin Sorrell
Introduced by Susan Wicks

No. 6
CEVAT ÇAPAN (Turkey)
Where Are You, Susie Petschek?
Translated by Cevat Çapan & Michael Hulse
Introduced by A. S. Byatt